काके दी हट्टी

काके दी हट्टी

ममता कालिया

वाणी प्रकाशन

वाणी प्रकाशन

4695, 21-ए, दरियागंज, नयी दिल्ली 110 002

शाखा

अशोक राजपथ, पटना 800 004

फ़ोनः +91 11 23273167 फ़ैक्सः +91 11 23275710

www.vaniprakashan.in
vaniprakashan@gmail.com

KAKE DI HATTI
by Mamta Kalia

ISBN : 978-93-5000-248-3
Collection of Short Stories

प्रथम संस्करण 2010
आवृत्ति संस्करण 2015
मूल्य : ₹ 295

सोनम प्रिंटर्स, दिल्ली-110 093 में मुद्रित

वाणी प्रकाशन का लोगो मक़बूल फ़िदा हुसेन की कूची से

अनुक्रम

काके दी हट्टी

होली आकर चली गयी थी। अपने निशान छोड़ गयी थी। सड़कों पर अबीर-गुलाल के धब्बे, रंगदार पानी के चहबच्चों के अलावा गुब्बारों की रबर बेशुमार चिथड़ों की तरह पड़ी थी। नगरपालिका के सफाईकर्मी अभी काम पर नहीं आये थे। उनके लिए होली अभी खत्म नहीं हुई थी। कॉलोनी के हर घर के आगे की दो-तीन सीढ़ियाँ, चबूतरा और बालकनी की रेलिंग रंगीन हो रही थी। और तो और बहुत-सी कारों पर भी रंग के छींटे थे। सुबह के आठ बजे थे लेकिन सड़क पर आवाजाही कम थी। कभी कोई स्कूटर या बाइक से गुज़र जाता तो सड़क के कुत्ते सचेत्र होकर गर्दन उठाते लेकिन कान और दुम हिला-फटक कर, उसका पीछा करने का इरादा मुल्तवी कर, वापस होली के धुँधुआते कुन्दे की गुनगुनी राख के पास पसरे रह जाते।

यह आनन्द और आमोद-प्रमोद के बाद का प्रमाद था जो कॉलोनी में समाया था। होली के बहाने हफ्ते भर से लोग छक कर खा-पी रहे थे। लोग पहले खेलते फिर खाते, अपने घर, दोस्तों के घर, फिर अपने घर होली में धर्मपरायण लोगों ने भी अपनी लगाम ढीली कर दी और शंकर जी के नाम पर जम कर दारू सेवन कर लिया। काके अपनी कॉपी देख कर बता सकता है कि किस घर में कितनी बोतलें सोडा गया। इस हफ्ते सोडे ने कोक को पछाड़ दिया। काके दी हट्टी का फोन बजता ही रहा पिछले हफ्ते। बी ब्लॉक के हर नम्बर पर काके का सेवक बलदेव सोडे के क्रेट

पहुँचाता रहा। बलदेव ने एक बार फिर अपनी माँग ताज़ा की 'भ्राज़ी आप मोपेड या स्कूटर रख लो तो काम तेजी से हो जाय।'

काके ने अपनी पुरानी दलील दुहरा दी 'सब नज़दीक के मकान हैं, बी ब्लॉक आखिर कितना बड़ा है। तू देख रहा है जगह किधर है स्कूटर खड़े करने की।'

काके संयुक्त अक्षर नहीं बोल पाता। उसे कोई फर्क नहीं पड़ता। चॉकलेट लेने वाली छोटी लड़की ने ही यह बात उससे कही थी, 'अंकल मेरा नाम आपने बिगाड़ दिया।'

'तू समिता है न अठत्तीस नम्बर।'

'नम्बर तो ठीक है नाम गलत है। मैं हूँ स्मिता।'

'की फर्क पैदा है' काके ने चॉकलेट और जवाब दिया।

दरअसल काके बहल को नामों की ज़रूरत ही नहीं पड़ती। कॉलोनी के परिवारों को वह नम्बरों से जानता है। नाम सिर्फ उनके कॉपी में लिखे जाते हैं जो सामान उधार मँगवाते हैं और महीने की पहली-दूसरी तारीख तक आकर पेमेंट कर जाते हैं। वैसे ज़्यादा लोग फोन से सामान मँगाते हैं। काके दी हट्टी का फोन बजता ही रहता है, घुँघरू की तरह। बड़ी तुरत-फुरत सेवा है हट्टी की। इधर फोन उधर बन्दा हाज़िर। बलदेव के ही हाथ पैसे भिजवा देते हैं लोग। पता नहीं लोग आजकल व्यस्त हो गये हैं अथवा आलसी। या दोनों। सारे दिन दौड़-भाग करते हैं लेकिन नुक्कड़ की दुकान तक आना गवारा नहीं करते। एक टूथब्रश भी चाहिए तो फोन खनखना देते हैं। बलदेव का ही बूता है जो पवन-पुत्र की तरह दौड़ जाता है कभी एक सौ इकतीस को दूध, डबलरोटी और अण्डे देने कभी तीन सौ बीस में डिटर्जेण्ट पाउडर देने। बेईमान बिल्कुल नहीं है बलदेव। सीधे-सीधे पूरा पेमेंट लाकर काउंटर पर रख देता है। हाँ, दिन में दो-तीन बार गुटके का पाउच ज़रूर माँगता है जिसकी बन्दनवार स्टोर पर लटकी रहती है। इतने पर भी महँगा नहीं पड़ता बलदेव। दिल्ली में आजकल टहलुए मिलते कहाँ हैं। जो आता है,

साल भर में अपनी हट्टी डाल कर अलग हो जाता है। बलदेव इलाहाबाद का है इसलिए टिका हुआ है। दुकान के बाहर कैम्प कॉट डाल कर सो जाता है। अच्छी-भली चौकीदारी हो जाती है।

किसी के काम में मीन-मेख निकालने की काके की आदत नहीं। कभी-कभी लोग खुली ब्रेड या पका हुआ दूध वापस कर जाते हैं 'काके भैया नोट कर लो। खराब निकल गया।'

दो लेन छोड़ कर मुख्य सड़क पर काके का घर है। घर में माँ-बाप हैं जिन्हें काके मम्मी जी डैडी जी कहता है। पिछले साल काके का ब्याह हो गया, जी ब्लॉक की पिंकी मलहोत्रा से। जी ब्लॉक की पिंकी बी ब्लॉक के रहन-सहन से समझौता नहीं कर पायी, वह ज़्यादातर जी ब्लॉक में ही रहती है। नाते-रिश्तेदारों को खटका है, कि अगर पिंकी बी ब्लॉक से ऐसे ही दूर रही तो भूगोल के साथ उसकी इतिहास से भी खटपट हो जायेगी। पिंकी कालका जी के कॉल सेन्टर पर काम करती है, अठारह हज़ार तनख्वाह पाती है और ड्यूटी के वक्त-सलवार-कमीज़ की जगह पैंट-शर्ट पहनती है। काके के माँ-बाप को इसकी शिकायत है। शिकायतें उन्हें और भी हैं। पिंकी शाम चार बजे नौकरी पर जाती है, सुबह चार बजे लौटती है। टेबिल पर रखा खाना बिना गर्म किये खा लेती है और जो सोती है तो अगले दिन दो बजे तक चेत नहीं करती। उसे नहीं पता कब घर के बन्दे उठे, काम से लगे, कौन आया-गया, कितनी बार फोन बजा, कितनी बार कॉल बेल बजी। इतवार शनिवार की छुट्टी हुई तो भी पिंकी को फुर्सत नहीं। सेन्ट्रल मार्केट में घूमना, खरीदारी करना, चाट खाना और लौटते टाइम दोनों हाथों में मेहँदी लगवा कर चले आना। अब करवा लो उससे क्या करवाओगे। कभी अपने शौहर को एक ग्लास पानी नहीं पकड़ाया तिस पर उससे कहना, 'चन्दर मेरे बालों में क्लिप लगा दो; चन्दर ज़रा कोक पिला दो।' काके हँसता-हँसता उसका हुक्म बजाता। मम्मी जी के ऐसा सिरदर्द शुरू होता कि आँख-कान मुँह दुपट्टे से लपेट कर

बिस्तर पर पड़ जातीं। तीन-चार महीनों में मम्मी जी की शिकायतों की फाइल इतनी मोटी हो गयी कि न पिंकी से उठाई गयी न काके से। चन्द्र प्रकाश, जो अपना नाम चन्दर परकाश समझता और जिसे पूरा बी ब्लॉक काके के नाम से जानता, के पास इतना भी अवकाश नहीं होता कि वह माँ या पिंकी को समझाये। दोनों के लिए अच्छा बनते-बनते वह किसी के लिए अच्छा न रहा। माँ ने कहा, 'अरे इतना भी क्या अच्छा कि बोट्टी को कुछ कहना ही नहीं।' पिंकी ने कहा, 'इतना अच्छा होना अच्छा नहीं होता। घर की चौधरी मम्मी जी, स्टोर का चौधरी बलदेव, चन्दर तो जैसे है ही नहीं।'

एक दिन अपने सारे कपड़े, सैन्डिलें और पर्स सँभाल कर पिंकी जी-ब्लॉक चली गयी। जाते-जाते चन्दर को बाँह दबा कर कह गयी, 'मिलने की तड़प उट्ठे तो आ जाना जी-ब्लॉक।'

रात दस बजे काके दी हट्टी बढ़ाते वक्त काके को कभी-कभी अपनी बाँह पर दबाव महसूस हो जाता पर वह मन मसोस कर बी ब्लॉक, अपने घर पहुँच जाता। उसे पता था पिंकी कॉल सेन्टर गयी हुई होगी। ऐसे में सिर्फ शनि, इतवार की तड़प ही चैन पा सकती थी। लेकिन वह अपने स्टोर का क्या करे जो शनिवार, इतवार सर्दी-गर्मी चौमासा हमेशा यानी साल में 365 दिन खुला रहता। खुलने के घण्टे भी बारह से ज़्यादा, कुल चौदह। सुबह आठ से दस बजे तक ज़रूर डैडी जी स्टोर सँभालते। काके नहा-धोकर दस बजे जो स्टोर में घुसता तो रात दस बजे ही फारिग होता। पास में घर था, फिर भी घर तक जाना मुश्किल था; वह बलदेव को भेज कर अपना खाना स्टोर पर ही मँगा लेता। ग्राहक उसके इतने अच्छे कि अगर वह खाना खा रहा हो तो अपने आप आलू चिप्स की बदनवार में से पैकेट निकाल, दस रुपये का नोट काउंटर पर रख देते।

यों तो बी ब्लॉक में हर जगह मकान बने हुए थे, काके दी

हट्‌टी के पास एक बड़ा-सा प्लॉट खाली पड़ा था। पहले लोग अपने घरों का कचरा यहाँ डलवा देते। हवा के साथ जब दुर्गन्ध उड़ कर पड़ोस के घरों में जाने लगी, लोगों ने शोर मचाया। जमादारों को धमकाया गया। बी ब्लॉक की कल्याण परिषद ने प्लॉट के मालिकों को खबर भेजी कि वे इस पर या तो मकान बनवाये नहीं तो चारदीवारी बना कर ताला लगायें।

कुछ दिन की चुप्पी के बाद यकायक इस खाली प्लॉट में खलबली नज़र आने लगी। एक दिन कूड़ा उठाने वाला डम्पर आ गया जो शाम तक मटक-मटक कर कूड़ा उठाता रहा। मिट्टी गिराने वाली ट्रकें आ गयी और देखते-देखते वहाँ गहरी नींव खुदने का काम शुरू हो गया। काके के कानों में खबर पड़ी कि यहाँ कोई मकान नहीं बनने जा रहा। ज़मीन के मालिकों ने ज़मीन का सौदा कर लिया है। खाली प्लॉट पर रात-दिन काम चला। सारे समय घर्र-घर्र करते ट्रक आते, सिमेन्ट, बालू, कंकरीट और सरिये गिरा कर चले जाते। रात में हैलोजन लाइटों से प्लॉट जगर-मगर करता और इमारत बनने का काम चलता। जल्द ही वहाँ बढ़ई और बिजली मिस्त्री भी नज़र आने लगे। काके के स्टोर में भी पान-मसाले, कोक और चिप्स की बिक्री बढ़ गयी।

जिस तरह नयी इमारत की रूप रेखा उभर कर सामने आ रही थी, यह स्पष्ट हो रहा था कि इस प्लॉट में सुपर स्टोर खोले जाने की तैयारी चल रही है। रात के चौकीदार राणा ने बताया 'जी ब्लॉक के किसी सेठ ने इसे खरीदा है।'

उड़ती खबर के मजबूत खम्भे खड़े होने लगे। अण्डर ग्राउण्ड फूड बाज़ार बनाया गया। न जाने किस जादू से दोनों तरफ़ पौधों की कतार भी उगा दी गयी। काके हक्का-बक्का-सा प्लॉट पर हो रही उखाड़-पछाड़ और निर्माण देखता और बार-बार अपने स्टोर की चीज़ों को झाड़न से साफ़ करता। कोई पूछता तो कहता, 'सुपर स्टोर की धूल ने मेरी हट्‌टी का तो भट्‌ठा बैठा देना है।'

लोग हँसते, 'काके तुम्हारी इतनी छोटी-सी दुकान, तुम्हें क्या फर्क पड़ना है।'

'पड़ना है जी, देखते जाओ। हम छोटे दुकानदारों को जीने देना भी है कि नहीं, रब जाने।'

इतवार को पिंकी से मिलने गया तब भी यह बात दोनों के बीच रह-रह कर मँडराई। पिंकी ने इतरा कर कहा, 'तुम्हारे बी ब्लॉक में हमारा जी ब्लॉक घुस गया। हमारे घर से मक्कर लोगों का फ्लैट दिखता है न, उन्होंने ही एबीसी सुपर स्टोर खोला है।'

'यह बताओ तुम किसकी तरफ हो, जी या बी?' चन्दर ने पूछा।

पिंकी कुछ भी कहने के समय अपने होठों को बटुए की तरह सिकोड़ती थी। उसकी यह अदा चन्दर को प्यारी लगती। पिंकी ने होठ सिकोड़ कर कहा, 'प्यारे तो मुझे जी और बी दोनों हैं पर बी तो और ज़्यादा समझो, वहाँ मेरा रांझा रहता है जो।'

'फिर तुम वहीं क्यों नहीं रहतीं?'

'सच बताऊँ वहाँ की मुझे हर बात ऊपरी लगती है। मम्मी जी डैडी जी का बर्ताव, बी ब्लॉक के फल-तरकारी, यहाँ तक कि छोले-भटूरे भी। और तो और वहाँ का पानी भी सीठा लगता है।'

'और मैं?'

'तुम तो जी मेरे हो। फिर भी रहना मैंने जी बी ब्लॉक में ही है। उधर रोज़ मम्मी जी कहती हैं नौकरी छोड़ दो। मैंने नहीं छोड़नी अपनी सर्विस।'

चन्दर समझ गया उसके जीवन में जी ब्लॉक खलनायक है। एबीसी सुपर स्टोर के वातानुकूलित हॉल में जाकर खरीदारी करना सबको अच्छा लगने लगा। जो कभी अपने वातानुकूलित कमरों से नहीं निकलते थे, वे लोग भी अब कारों में लद कर एबीसी आने लगे। सुपर स्टोर के अन्दर फूड बाज़ार था। चॉकलेट, पोटैटो चिप्स और कोला का चाव बच्चे वहीं पूरा कर लेते। एबीसी से ग्राहक

हँसते-खेलते बाहर निकलते जिन्हें देख कर चन्दर का चेहरा रुआँसा हो जाता। उसके फ्रीज़ में कोला लगा रहता, डीप फ्रीज़ में आइसक्रीम पड़ी रहती, डबलरोटी की कतारें सजी रह जातीं, ग्राहक जैसे उसकी हट्टी का रास्ता भूल गये थे। पहले उसके पिता बगल की बन्द पड़ी दुकान के आगे चादर बिछा सारा दिन ताश खेलते थे। अब बेटे की रोनी सूरत देख उन्हें ताश में आनन्द न आता। वे घर जाकर लेट जाते और खुद भी सुस्त हो जाते।

एबीसी स्टोर को दिन पर दिन पार्किंग के लिए ज़्यादा जगह की ज़रूरत महसूस होने लगी। मक्कर साहब के मैनेजर ने बातचीत से जानकारी हासिल की कि सामने की दो बन्द पड़ी दुकानों के साथ अगर काके दी हट्टी वाली जगह भी वे हासिल कर लें तो उन्हें बढ़िया पार्किंग ज़ोन मिल जाय। बन्द दुकानों के मालिक थोड़ी-सी मान-मनौवल और सौदेबाज़ी के बाद अपनी जायदाद बेचने पर राज़ी हो गये। उन्हें अच्छा मुआवज़ा मिल रहा था। दोनों दुकानें दर्जियों की थीं जिनके बच्चे तीन साल पहले यू.ए.ई. में जाकर बस गये और वहीं उन्होंने अपनी टेलरिंग शॉप जमा ली थी।

कोने पर चन्दर की दुकान फँसी थी। उसके बिना पार्किंग ज़ोन का भूगोल जम नहीं रहा था।

मैनेजर ने चन्दर से बात की। वह एकदम उखड़ गया, 'आप खुद सोचिये, कोई अपना चलता हुआ बिजनेस बन्द करता है?' मैनेजर मन में हँसा। दुकान और मालिक की पस्त हालत और त्रस्त सूरत से साफ़ पता चल रहा था कि असलियत कुछ और है। पर रस्सी के कस-बल कम नहीं हुए थे।

मैनेजर ने कहा, 'चन्द्र प्रकाशजी हम आपको एबीसी में एक सेक्शन का इंचार्ज बना देंगे, आपका सारा स्टॉक भी खरीद लेंगे और बाज़ार रेट से दुगना, दुकान का मुआवज़ा देंगे। सोच लीजिये और मुझे कल बताइये। मैं इसी समय आऊँगा।'

चन्दर काके ने अपने अगल-बगज़ देखा। वाकई काके दी

हट्टी के हर सामान पर भूरी-भूरी खाक-धूल बैठी हुई थी। कोला वाली गाड़ी तीन बार बिना माल दिये लौट गयी थी। डबलरोटी और अण्डे उसने रखने बन्द कर दिये थे, उनकी खपत नहीं थी।

उसने घर पर माता-पिता से सलाह की। सब सोच में पड़ गये। कॉलोनी में यह स्टोर उसके पिता ने शुरू किया था। यह कॉलोनी का पहला स्टोर था। पिता ने अपने पुराने ग्राहकों से सलाह की। सब दुनियादार थे। सबने यही समझाया 'सुपर स्टोर तो चलना ही चलना है इससे जितना ऐंठ सको, ऐंठ लो और किसी और धन्धे में घुस जाओ।'

चन्दर और उसके पिता ने तिगुनी राशि की माँग रखी जो थोड़े विचार-विमर्श के बाद स्वीकृत हो गयी।

पिता अपने सलाहकारों से मशविरा करने लगे कि चालीस लाख में कौन-सी बिजनेस शुरू की जाय।

चन्दर का मन उदास था।

जब से उसने होश सँभाला यही काम किया था। जब छोटा था वह दुकान पर आता तो पिता कहते 'काके हुण तू फड़ाईं सौदा, मैं तो काउंटर पे खड़ा-खड़ा थक गया।' वह लपक-लपक कर सामान देता जाता। पिता पैसे वसूल करते जाते। उधार लेने वालों के लिए उसकी याददाश्त इतनी अच्छी थी कि पिता कहते, 'काके नू पुच्छ लो जा कॉपी देख लो, एकोई गल है।' फोन से सामान मँगाने का चलन अभी सात-आठ साल से शुरू हुआ था। उसके पहले लोग स्वयं दुकान तक आकर खरीदारी करते।

बलदेव ने धीरे से बताया, 'भ्राजी मेरे को एबीसी में डिलिवरी मैन की नौकरी मिल रही है—चार हज़ार पर। आपकी सलाह हो तो करूँ।'

'जा भई तू भी जा' चन्दर ने दुखी होकर कहा।

इतवार को पिंकी आयी। उसने देखा घर के तीनों सदस्य मुँह लटकाये बैठे हैं।

पिंकी ने बटुए की तरह होठ सिकोड़ कर कहा, 'डील हो गयी।'

माता-पिता उसी तरह बैठ रहे।

चन्दर ने गर्दन के इशारे से बताया कि डील हो गयी।

'फिर क्या! उस छोटी-सी हट्टी की इतनी अच्छी कीमत मिल गयी इसे तो लकी डील मानना चाहिए।'

अब पिता बोले। उनकी आवाज़ दर्द से सर्द थी 'तैनूं की लकी दिसदा पैया। मेरी पच्चीस साल की मेहनत पर पानी फिर गया।'

माँ ने कहा, 'यह जी ब्लॉक की है न, एनूं की समझ आनी साड्डी तकलीफ? काके अपनी हट्टी का मालिक था, इसे पाँच हज़ार पर नौकर रखना चाहते एबीसी वाले।"

बजाय शर्मिन्दा होने के पिंकी चन्दर से मुखातिब हुई 'तुम तो नये ज़माने के हो। मेरी बात समझो। दुकान चलाने के ढंग अब बदल गये हैं। छोटा-सा पीसीओ भी हो तो लोग उसमें वीडियो गेम खेलना चाहते हैं, कोला पीना चाहते हैं। अब शॉप का मतलब सिर्फ शॉप नहीं एन्टरटेनमेंट शॉप हो गया है। आज नहीं तो कल ये बन्द होना ही था।'

'काके ने अब की करना, पकौड़े बेचने?' माँ ने गुस्से से पूछा।

'सोचते हैं, इकट्ठे मिल कर सोचते हैं।' पिंकी ने कहा।

पिंकी ने चाय बनायी। घर के ठप्प पड़े कामों को सँभाला—वॉशिंग मशीन में मैले कपड़ों की धुलाई, किचन की सफाई और बैठक की झाड़-पोंछ।

चन्दर से पूछ-पूछ कर वह फोन करती रही, मदर डेयरी, मॉडर्न बेकर्स, पार्ले डिस्ट्रीब्यूटर्स।

अगले दिन कॉलोनी के जो लोग सुबह की सैर पर निकले, उन्होंने देखा बी-51 की गैरेज में दो मेज़ों पर दूध के क्रेट और डबलरोटी की कतारें लगी हुई हैं। कोला की गाड़ी अपना माल उतार रही थी। गैरेज के फाटक पर एक स्लेट लटकी हुई थी जिस पर रंगीन चॉक से लिखा हुआ था 'काके दी हट्टी।'

एक रिश्ता तो था

सड़क के उस पार वाले फ्लैट की खिड़की से इटर्निटी की खुशबू उड़ती हुई इस पार आयी तो इति समझ गयी कि आदि नहा चुका है। बस पाँच मिनट में वह तैयार हो कर घर से निकलेगा और अपने गेट पर पहुँचेगा। तभी उसकी स्टाफ़ कार आकर रुकेगी और उसे ऑफिस ले जायेगी।

यह कैसा रिश्ता बनता जा रहा है इति का? सबसे पहला तो बना नाम का। यह इति और वह आदि। दोनों युवा। दोनों अविवाहित। दोनों एक दफ़्तर में कार्यरत। 'दिल अपना और प्रीत पराई' फिल्म का गाना 'अजीब दास्तां है ये, कहाँ शुरू कहाँ खतम' इति के कानों में गूँजने लगता है जबकि उसके नाम में ऐसा कोई रोमांस नहीं है। तीन बहनों में वह आखिरी थी। उसके बाद पापा ने अपनी नसबन्दी करवा ली। बेटी का नाम इति रख दिया गोया फिल्म के पर्दे पर लिख दिया 'द एण्ड।' उसकी माँ ने बहुतेरे तर्क दिये कि एक बेटा तो होना ही चाहिए, कि तीन बेटियों के बाद चौथा बच्चा बेटा ही होगा उन्हें ज्योतिषी ने बताया है पर पापा ने कहा इति तो इति ही हो गयी। वैसे माँ को इति शब्द से चिढ़ है। वे अक्सर उसे पुकारती हैं 'इत्ती'। स्कूल में तो कोई उसका नाम समझता भी नहीं था। अध्यापिकायें कहतीं, 'इतना छोटा नाम, सिर्फ तीन हिज्जे। ऐसा कैसे हो सकता है।' इति अपने नाम से हताश हो जाती। आज इति को लगता है कि नसबन्दी जैसे विरूप शब्द का पर्याय, भारत-सरकार इति क्यों नहीं कर देती 'इति श्री।'

इस आदि के साथ उसका रिश्ता होते हुए भी कितना मौन और न होते हुए भी कितना मुखर है। आदि नायर उसी की कम्पनी में कई पायदान ऊपर मार्केटिंग मैनेज़र है। इति इस कम्पनी में वार्षिक अनुबन्ध पर अनुवादक है। कम्पनी के समस्त मसौदों, नियमावलियों और बैठकों की कार्यवाहियों के विवरण का अनुवाद उसके ज़िम्मे है। अनुबन्ध के नवीनीकरण के लिए उसे राजभाषा अधिकारी के कत्थई दाँतों और चितकबरे बालों को बर्दाश्त करना पड़ता है। राजभाषा अधिकारी डॉ. मुनीष सिंहल तीन चश्मे लगता है। पहला चश्मा तो शायद वह पहन कर ही पैदा हुआ होगा, इस तरह वह उसके चेहरे से चिपका रहता है। उसके ऊपर वह दो काँच के लैन्स एक क्लिप की टिच आवाज़ के साथ चिपका लेता है। इन दोनों के ऊपर वह एक गहरे रंग का बड़ा-सा चश्मा लगाता है। उसका ख्याल है कि आँखों की इस साज सज्जा से वह विशिष्ट विद्वान लगता है जबकि इति को वह जासूस दिखाई देता है। वह इति के अनुवादों पर लाल पेन से संशोधन कर देता है, इस बात से इति को नफ़रत है। उसे पूरी कॉपी फिर से तैयार करनी पड़ती है। शाम चार बजे चाय के वक्त वह दोस्ताना अन्दाज़ में कहता है, 'आइये कुछ चाय-नाश्ता हो जाय।' इति मना कर देती है तो वह चाय वाले लड़के से एक चाय उसकी मेज़ पर भिजवा देता है। मजबूरन चाय लेकर इति को उसकी मेज़ पर आना पड़ता है जहाँ वह उसे दो गोल बिस्किट पेश कर कहता है 'यू नो, टाइमपास।' दिन भर में वह बस इतनी अंग्रेज़ी बोलता है। एक दिन उसने बताया था 'मैंने डबल एम.ए. किया था दोनों फर्स्ट क्लास फर्स्ट। मैं इंग्लिश का प्रोफेसर बन कर नाम कमा लेता मगर देश-प्रेम। देश-प्रेम ने मुझे कहीं का न छोड़ा। मैं हिन्दी में आ गया।' 'इसमें क्या बुरा रहा, हिन्दी में भी अधिकारी तो आप हो ही गये' इति ने खुशामद में कहा तो डॉ. सिंहल ने प्रसन्नता में अपने सारे टेढ़े-मेढ़े कत्थई दाँत निपोर दिये। उन्होंने कहा, 'इच्छा तो मेरी

होती है आपको घर पर दावत दूँ लेकिन क्या बताऊँ, मेरी पत्नी बड़ी शक्की है। अपनी महिला-मित्रों को मैं घर लाऊँ यह उसे गवारा नहीं।'

'अच्छी बात है यह!'

'क्यों?'

'वह आपके और आपकी महिला मित्रों के चरित्र की रक्षा करती है।' इति ने कहा और अपनी जगह पर आ गयी।

मूर्ख कहीं का, इति ने मन ही मन कहा, मेरी मजबूरी को मित्रता समझ रहा है।

इस नौकरी में इति तभी तक है जब तक उसे कहीं लेक्चररशिप नहीं मिल जाती। जीवन के बारे में उसके स्वप्न कहीं ज्यादा रोमांटिक हैं। स्वप्न देखना उसे अच्छा लगता है क्योंकि स्वप्नों का संसार स्वाधीन, स्वायत्त और स्वयं-सिद्ध होता है। वहाँ न माँ-बाप की बन्दिशें हैं, न नगर-समाज की रस्सियों के घेरे। सपनों में वह मनचाहे साथी के साथ कितनी भी देर गुफ्तगू कर सकती है जबकि दफ्तर में उसने देखा है लोगों के बीच संवाद की जगह विवाद ही चलता रहता है। साथ ही दफ्तर में विवाहित स्त्रियाँ अविवाहित पुरुष सहकर्मियों के साथ नज़दीकियाँ बढ़ाने को बेचैन दिखाई देती हैं और विवाहित पुरुष अविवाहित महिला सहकर्मियों को घेरना चाहते हैं। इति दार्शनिक हो कर सोचती है, समाज में केवल अर्थशास्त्र ही नहीं प्रेमशास्त्र भी असमान विभाजन पर खड़ा हुआ है।

फिर भी यह जीवन, छह महीने पहले के जीवन से कुछ बेहतर है। राजा कॉलोनी में उसका रहना इत्तेफाक के सिवा कुछ भी नहीं है। यह घर उसके मामा का है। मामा-मामी अपने बच्चों के पास दक्षिण अमेरिका चले गये और इति को घर की चौकीदारी के लिए छोड़ गये। यों तो इति के माँ-बाप भी मुम्बई में हैं पर मामी का स्पष्ट कथन था कि सारा कुनबा इस छोटे से घर में आकर क्या

करेगा। साल भर में आप अपना मलाड वाला घर बन्द करके खराब कर लोगे। बस इति आ जाय। उसे यहाँ से दफ्तर पास पड़ेगा। साल भर बाद हम वापस आ जायेंगे।

परिवार के बन्धनों से निकल कर नवी मुम्बई में आना इति के अन्दर नयी प्राण वायु भर गया। खराब नौकरी भी अच्छी लगने लगी। नींद में सपने और सपनों में सौदागर आपने लगे।

इति को यह नहीं पता कि आदि नायर उसे पहचानता भी है या नहीं। दफ्तर में उसका मेलजोल लोगों से कम और यन्त्रों से ज़्यादा है। आधे समय वह इंटरनेट से चिपका दिखाई देता है तो बाकी समय अपने सैलफोन से।

फिलहाल इति के लिए यही काफी है कि वह उसे पहचानती है। पास के फ्लैट में रहने वाली विभावरी ने एक दिन कहा था, 'तुम भी उसी कार से ऑफिस क्यों नहीं चली जातीं, वहीं तो जाना होता है तुम्हें?'

'वह अफ़सरों को ले जाने वाली कार है, उसमें गैर-अफ़सर नहीं बैठ सकते।'

'इसके विरुद्ध आवाज़ उठाओ। यह भेदभाव की व्यवस्था है।'

'निजी फायदे के लिए क्रान्ति का बिगुल नहीं बजाना चाहिए।'

'मैनेजरों को इतनी लम्बी तनखा मिलती है। वे अपने साधनों से दफ़्तर जायँ। जूनियर कर्मियों को मिलता ही क्या है। फिर भी वे ही बस की कतारों में खड़े हों, बसों के धक्के खायँ, ब्लू लाइनों से कुचले जायँ या देर होने पर अफ़सर की घुड़कियाँ खायँ।

'तुम नीति-नियम नहीं समझतीं।'

विभावरी को उसने चुप कर दिया लेकिन उसके अपने ज़ेहन में ये सवाल सिर उठा कर खड़े हो गये। वास्तव में यह सोचने की बात है कि सुविधायें उच्चाधिकारियों को मिलनी चाहिए या मातहतों को, जिनका वेतन नगण्य होता है और दिनचर्या, कठोर। इति तो अभी स्थायी कर्मचारी भी नहीं थी। स्टाफ़-रजिस्टर पर उसका हस्ताक्षर

नहीं लिया जाता था। ऐसे सभी अनुबन्धित कर्मचारियों के पास एक अलग डायरी घुमाई जाती थी जिसमें वे अपने आने और जाने का समय और हस्ताक्षर दर्ज करते।

एक दिन दफ़्तर में हड़ताल हो गयी।

मुद्दा था ओवरटाइम।

सभी स्थायी तृतीय और चतुर्थ श्रेणी कर्मचारी इस प्रस्ताव से भड़के हुए थे कि कम्पनी ओवरटाइम की व्यवस्था खत्म कर, कार्य के घण्टे बढ़ाने जा रही है। यह इति का मुद्दा नहीं था।

मैनेजर ने उससे कहा, वह हड़ताल के प्रति निरपेक्ष रहे, और चेतावनी दी, 'अपनी हाज़िरी दर्ज करना मत भूलना।'

मैनेजर के रुख से इति के दिमाग में अपनी सेवा-शर्तें कौंध गयीं। धरना, प्रदर्शन, हड़ताल, सब स्थायी कर्मचारियों के अधिकार थे।

शुक्रवार को उसे घर से निकलने में देर हो गयी। वह बेचैन हो रही थी कि अगर दस बजे तक दफ्तर न पहुँची तो उसकी आज की हाज़िरी रद्द मानी जायेगी। वह बस-स्टॉप पर खड़ी घड़ी देख रही थी कि उसके पास एक टैक्सी रुकी।

यह आदि नायर था।

उसने कहा, 'स्टैप इन, आय एम गोइंग टू ऑफिस' (अन्दर आ जाओ, मैं ऑफिस जा रहा हूँ।)

असमंजस में थी इति। चकरायी हुई वह टैक्सी में बैठ गई। मन में उलझन थी। इस शख्स ने कभी न पहचान जतायी न मुलाकात की। वह उसे पहचानता ज़रूर है। यह भी जानता है कि इति वहीं काम करती है और इस वक्त दफ़्तर जाने के लिए निकली है। उसने धीमे से कहा, 'आज दफ़्तर की गाड़ी का क्या हुआ?'

'ड्राइवर सब हड़ताल पर हैं।'

इति सिमटी-सी एक तरफ बैठी रही। आदि ने अपनी तरफ

से कोई पहल नहीं की, बातचीत की।

टैक्सी लगातार चल रही थी। ट्रैफिक-लाइट्स की आज्ञा मानते हुए।

इटर्निटी की खुशबू रह-रह कर इति तक आ रही थी। यह महक पिछले कई महीनों की कल्पना की कड़ी थी। जड़ नहीं था आदि।

उस तक संदल साबुन की महक उड़-उड़ कर आ रही थी। यह महक उसे सुबह नौ बजे कई बार बालकनी तक आने को मजबूर करती। एक रिश्ता था इस महक से।

एक सिम्फनी बन रही थी इति और आदि की। इसमें शब्दों का महत्त्व उतना नहीं था जितना बिन बोले लमहों का। ये लमहे बेशकीमती थे।

आदि सोच रहा था, इति अच्छी-भली लड़की है। दफ़्तर की बाकी महिलाओं की तरह मुँहफट भी नहीं लगती। क्या इससे दोस्ती की जा सकती है? लेकिन अगर मैं दोस्ती का हाथ बढ़ाऊँ तो यह शायद सोचे कि मैं बॉस होने का फायदा उठा रहा हूँ। इति सोच रही थी अच्छा-भला लड़का है आदि नायर। इतना गुमसुम क्यों है? क्या इसकी मुझसे बात करने की तबियत नहीं होती? अगर मैं बोलूँ तो यह सोचेगा मैं इसे पटा रही हूँ। काश यह इतना सीनियर न होता? उसने गहरी उदासी से सोचा। दफ़्तर काफी दूर था। बीच में कई उपनगर पड़ते थे।

वे अँधेरी पहुँच चुके थे। पूर्व दिशा में बस साकी नाका तक जाना था उन्हें।

वामनपुरी पर टायरों की दुकानें थीं। सड़क-किनारे ही टायर की मरम्मत और रिट्रीडिंग का काम चलता रहता। न जाने वहाँ किस कोने से एक लड़का भागता हुआ दिखा। वह हड़बड़ी में सड़क पार कर रहा था।

ड्राइवर ने बहुत कस कर ब्रेक लगाया लेकिन रुकते-रुकते

कार उछल कर बगल के पेड़ से जा टकरायी। लड़का तो बच गया लेकिन टैक्सी में पीछे की सीट पर बैठी दोनों सवारियाँ अपनी-अपनी खिड़की से टकरा कर ठण्डी हो गईं। उनकी कनपटी की नसें दब गयी थीं। सड़क पर भीड़ जमा हो गयी।

ड्राइवर हतबुद्धि-सा कभी अपने को देख रहा था कभी अपनी सवारियों को।

लोग पूछ रहे थे। ड्राइवर बता रहा था, 'दोनों राजा कॉलोनी से चढ़े थे। दोनों को साकीनाका जाना था। भीड़ ने कहा, 'लैला-मजनूं थे दोनों। देखा कैसे साथ-साथ जान निकली है।'

'खुश किस्मत थे। इकट्ठे जिये, इकट्ठे मरे, मेरे को पन पुलिस से निपटने कू छोड़ गये।' ड्राइवर ने कहा।

जाते हुए लोग

फिल्म या नाटक में अगर ऐसा दिखाया जाता तो मैं इस अतिरंजना पर मुँह बिचका देती। ऐसा कैसे हुआ कि ठीक सोलह दिन बाद उसी यशोदा अस्पताल के गहन चिकित्सा कक्ष नम्बर तीन के बेड नम्बर तीन पर पापा रात तीन बजे इस दुनिया से विदा हो गये। उन्हें भी उसी तरह बड़े टैम्पो में घर लाया गया। ठीक उसी जगह कमरे में लिटाया गया। रमतेराम रोड से वही हलवाई आया। उसी ने तेरही के भोज का इन्तजाम सँभाला।

यह क्या मम्मी ऊपर से बैठी-बैठी स्वर्गिक निर्देश दे रही थीं या जीवन में सभी के निधन पर ऐसा गणित-न्याय घटित होता है। बहुत पहले कभी सुना था कुमुद की माँ की मृत्यु हरिद्वार की हर की पैड़ी पर हुई थी। नहाते समय गोल पत्थर पर पैर फिसला और वे धारा में बह गई। तीन साल बाद उसके पिता की मृत्यु भी वहीं हरिद्वार में हुई। कुशाघाट पर वे शाम के समय आरती का दीपदान कर रहे थे। अचानक ऐसे रपटे कि ढूँढे से मृत देह भी नहीं मिली। साथ गये लोग हाथ मलते हुए आ गये। मुकुन्द नगर की हमारी सहेली रजनी के यहाँ तो एक दिन में तीन मौतें एक साथ हुई थीं। उस दिन सलूनों का त्योहार था। स्कूल में छुट्टी थी। उन दिनों रजनी की बड़ी बहन भी आयी हुई थी। पिछले महीने ही विमला जीजी का ब्याह हुआ था। दो बहनों के बीच भाई था केवल एक, वह भी सबसे छोटा। विमला ने अपने अध्यापक पति से अनुरोध किया कि त्योहार पर वे भी साथ चलें। प्रमोद के आ जाने से

रजनी-घर में रौनक़ आ गयी। कभी घण्टाघर जाकर चाट खाई जाती कभी मलाई बरफ़वाले को बुला कर उसकी सारी मलाई बरफ़ खरीदी जाती। विमला जीजी मखमल के गोल टुकड़े पर कलाबत्तू और सलमे सितारे टाँक कर राखी बनाने में रम गई। उसी दिन रजनी के मामा भी हापुड़ से आ गये कि अपनी बहन से राखी बँधवा लेंगे।

सलूनों की सुबह मौसम सुहाना हो गया। गर्मी कुछ कम थी। अंकल ने सुझाव दिया कि चल कर हिण्डन में नहाया जाय। वापसी में तरबूज, खरबूज और कमलगट्टे लाये जायें। आंटी बोलीं, 'त्योहार के दिन घर में रहना चाहिए, आज मत जाओ।'

अब तो जैसे अंकल को ज़िद चढ़ गई। वे इतरा कर बोले, 'प्रमोद बंटू की माँ मुझे खूँटे से बाँध कर रखना चाहती है। मैं चौपाया नहीं दोपाया हूँ, जहाँ मेरी मर्जी मैं जाऊँ, घूमूँ। तुम कभी विम्मी की अरदब में मत रहना।'

प्रमोद मुस्कुरा दिया। वैसे उसका घर से निकलने का कोई खास मन नहीं था पर जब उसने मामाजी को भी अंगोछा गले में डालते देखा, वह उठ खड़ा हुआ। नन्हा बंटू भी अपनी निकर और तौलिया लेकर मचलने लगा, 'मैं भी जाऊँगा।'

आंटी टुकुर-टुकुर देखती रह गईं और घर के मर्दों की टीम कार में बैठ कर फुर्र हो गई।

आठ बजे के गये लोग बारह बजे तक भी नहीं लौटे तब आंटी हमारे घर आकर बोलीं, 'भाईसाब मेरा जी बड़ा कटू-कटू कर रहा है। मोहननगर इत्ता दूर तो नहीं कि चार घण्टे लग जायँ।'

पापा ने पहले आनाकानी की, 'देखो जी सांवलदास की यह पुरानी आदत है। बैठ गये होंगे कहीं ताश की फड़ पर। दूसरे मेरे पास कोई चार पहिये की सवारी तो है नहीं। टिक-टिक अपनी साइकिल पर जाऊँगा तो घण्टा एक लग जायेगा। उतनी देर में वे फुर्र से अपनी फियेट से आकर पहुँच जायेंगे। बेवकूफ तो मैं

बनूँगा, साफ बात है।'

माँ की हमदर्दी आंटी के साथ थी। वे बोलीं, जाकर देख क्यों नहीं आते हो क्या हुआ। नई गाड़ी है, क्या पता अटक गई हो। तुम बब्बू के स्कूटर पर चले जाओ।'

पड़ोस का बब्बू बुलाया गया। दोनों को रवाना किया गया। अब तक घबराहट में विमला जीजी को उलटियाँ शुरू हो गयीं। इमरती दाई ने कहा, 'मानो न मानो, छोरी को दिन चढ़े हैं। पूछ लो वासे, पन्द्रह दिन ऊपर हो गये कि नायं।'

हिण्डन घाट से कार तो क्या लौटती, पापा और बब्बू जरूर लौट आये। उन्होंने हाँफती साँस और फटी आँखों से जो हाल बताया तो घर में कोहराम मच गया। पता चला सवेरे हिण्डन नदी में नाव कर, रजनी-घर के लोग पल्लीपार पहुँचे। मामा ने कहा, पहले तुम सब नहा लो, मैं कपड़े ताकता हूँ। बंटू को भी नहला दो। बाद में मैं नहा लूँगा।

अंकल, प्रमोद और बंटू कपड़े उतार कर हिण्डन की धार में उतरे। अंकल के लिए जानी-पहचानी नदी थी। सैंकड़ों बार यहाँ नहाये थे। बंटू को बार-बार ताकीद की गई, 'नाव पकड़ कर नहाओ।'

पर बंटू एक बार पानी में उतरे तो मछली बन जाये। वह कभी दायें आगे बढ़े, तो कभी बायें। पानी के अन्दर बालू में खुड्ड बने थे या कि वहाँ भँवर था, कुछ पता नहीं चला। हिण्डन की महिमा। यकायक प्रमोद ने देखा बंटू गले-गले तक पानी में पहुँच गया है। उसे तैरना आता था। 'छपाक' से पानी काट कर वह बंटू तक बढ़ा कि सिर्फ बंटू का नन्हा-सा हाथ उसके पंजे में आया। दोनों के पैर, प्रतिकूल लहरों से गह्वर में उलझ कर धँसते चले गये। दोनों के हाथ क्रमशः पानी में डूबते देख मामा घबराये। अंकल और मामा दोनों उधर चले कि मामा का पाँव भी उसी विवर्त में जा फँसा।

अंकल को नाव वाले ने वहाँ जाने से रोक लिया, 'यहाँ

जलभौंरा पड़ा है बाबूजी। गुनी-ओझा, मल्लाह कोई के बस में नहीं।'

अंकल छाती पीटकर क्रन्दन कर उठे, 'अरे मेरा बेटा, मेरा जमाई, मेरा साला, सब डूब रहे हैं। ए नाववाले कृपा करो भाई, उन्हें निकालो। मेरी जान ले लो उन्हें बचा लो, तुम्हारे पैर पड़ता हूँ।'

नाववाले ने कई साथियों को गुहराया। अंकल को लगा सबने देर लगा दी। जलभौंरे के पास तक पहुँच सबने मिल कर रस्सा डाला। बंटू, प्रमोद और मामा, तीनों के शरीर पकड़ में नहीं आ रहे थे। अंकल छाती पीट-पीट कर बेहाल हो गये। जब पापा और बब्बू हिण्डन के पक्के घाट पर पहुँचे हर एक की जुबान पर यही चर्चा थी, 'आज जलभौंरे ने एक नहीं तीन-तीन बलि ले लीं।'

अंकल घर आने को तैयार नहीं थे। वे जैसे विक्षिप्त अवस्था में पहुँच गये। वे कभी बंटू का तौलिया आँखों से लगाते कभी प्रमोद की पैन्ट। वे देर तक पल्ली पार बैठे विलाप करते रहे, अपने सर के बाल नोचते रहे, अपने को लानतें देते रहे, 'हाय सुमित्रा, मैंने तुम्हारी बात नहीं मानी। सलूनो के दिन घर के सारे चिराग बुझ गये। कोई राखी बँधवाने वाला नहीं रहा। मैं पापी हूँ। भगवान मुझे उठा ले। कौन मुँह लेकर जाऊँ मैं। मैंने अपनी बेटी का सुहाग उजाड़ दिया। मैंने अपना बेटा खा लिया। मैंने तीन-तीन घर उजाड़ दिये। मैं महापापी हूँ।'

पापा और बब्बू ने निःशब्द सान्त्वना देने की कोशिश की। अंकल नहीं उठे। तट पर सिर पर हाथ रख बैठे रहे। सान्त्वना देने वाले हार कर विदा हो गये, अंकल वहीं बैठे रहे।

शाम सात बजे, उसी घर में, उसी सलूनो के दिन तीन-तीन लाशें उतारी गयीं। चीरफाड़ के बाद लाशें मारकीन में सिलीं और सीलबन्द थीं। कागजों में लिखा था बंटू की श्वास नली में नीचे तक बालू जमी मिली; प्रमोद के दिमाग की नस तड़क गई; मामा के दिल की धड़कन रुक गई थी। एक ही विवर्त में तीन मौतें,

तीनों के कारण अलग-अलग। उस दिन का गगनभेदी विलाप सुन कर लगा था इस घर में अब कभी न चूल्हा जलेगा, न फूल खिलेगा न रेडियो बजेगा, न जीवन सजेगा। इस घर के बचे-खुचे लोग अभिशप्त प्रेत जीवन जियेंगे। पर साल बीतते न बीतते, वहाँ क्या हुआ। विमला जीजी की गोद में नौ महीने बाद एक गोलमटोल बेटा आ गया, उसके होठ, नाक और ठुड्डी ऐसी कि हर कोई गोद में लेकर कहे, 'अरे यह प्रमोद कहाँ से आ गया।' विमला जीजी कन्या वैदिक विद्यालय में संस्कृत की अध्यापिका बन गईं और उन्होंने माँ के घर को ही अपना आवास बना लिया।

आंटी ने भगवान के लड्डूगोपाल स्वरूप को बंटू का प्रतिनिधि मान लिया। लड्डूगोपाल की दिनचर्या में उन्होंने अपने को ऐसा खपाया कि उन्हें कोई गिला-शिकवा नहीं रहा। वे बार-बार भगवान को शीश नवातीं और कह उठतीं, जो बिगड़े सो तेरा नाथ मेरा क्या बिगड़े।'

मामी जरूर साल भर बेहद परेशान रहीं पर उन्होंने आखिरकार आंटी को माफ कर दिया। मामा की पीछे छूटी पुस्तकों से उन्होंने एक पुस्तकालय स्थापित किया। सारा दिन वे पुस्तकालय में एक कुर्सी पर बैठी-बैठी रजिस्टर में किताबों का आगत-निर्गत भरती रहतीं। इस काम में उन्हें बहुत सुख मिलता।

सुरक्षा का आतंक

अब तो राज्यों की भी जन्मपत्रियाँ छपती हैं। ज्यादातर उनमें किसी न किसी राजनीतिक दल की पक्षधरता के हवाले से संकेत दिए जाते हैं कि इनकी सरकार बनने के योग हैं या उनकी गिरने के। इन दस वर्षों में पंजाब ने जितना उतार-चढ़ाव देखा किसी राज्य ने न देखा होगा। कोई छोटा-मोटा मरियल प्रदेश होता तो अब तक पिस गया होता। पर पंजाब आज भी हिन्दुस्तान के नक्शे पर धड़कता है। पंजाब के बहादुरों ने न कभी जीने में हौसला हारा न मरने में हिम्मत।

फिर भी यहाँ न जाने कहाँ से आ घुसा था आतंकवाद। हर तरफ से शक, शुबहा और शामत। कई बार अच्छे-भले परिवारों को सताया गया महज शक की खातिर। कई बार न्याय हुआ तो ज्यादा बार अन्याय। लोगों के मन में जानमाल की सलामती की चिन्ता, दुश्चिन्ता में बदल गई।

जिस किसी ने पंजाब युनिवर्सिटी के लॉन पर करीने से उगे गुलाब और गुलदाउदी देखे हैं, जिसने कैम्पस पर यूथ फेस्टिवल और मुशायरे का लुत्फ उठाया है, जिसने खूबसूरत छात्राओं के रंग-बिरंगे दुपट्टे हवा में लहराते निहारे हैं, वह कभी सोच भी नहीं सकता कि ऐसी चपल चंचल युनिवर्सिटी में भी आतंकवाद का साया मँडरा सकता है।

पर ऐसा हुआ।

एक दिन शहर की एल.आई.यू. ने खबर दी कि उन्हें पता

चला है युनिवर्सिटी के हिन्दी और संस्कृत विभाग पर आतंकवादी हमले का खतरा है। शिकायत एक शुबहे पर आधारित थी। कुलपति ने शुबहे को निराधार बताया पर उनकी कौन सुनता। अगले ही हफ्ते कुलपति को एक खूनी दस्ते का खुला चिट्ठा डाक से मिला। इसमें धमकी, चेतावनी और तोहमत तीनों तरतीबवार दी गयी थीं।

विभाग के प्राध्यापकों से बात करने से पहले कुलपति ने जिलाधिकारी और कमिश्नर से सलाह करना उचित समझा लेकिन तब तक न जाने कैसे सारे कैम्पस में खबर फैल गई कि हिन्दी और संस्कृत विभाग के प्रोफेसरों, टीचरों को खाड़कू चुन-चुन कर गोली से उड़ाने वाले हैं। हालत यह हो गई कि उस बुधवार अपने घर जाने के लिए, हिन्दी और संस्कृत विभाग का कोई अध्यापक या कर्मचारी स्टाफ रूम से नहीं निकला। जो हिन्दी और संस्कृत विभाग में नहीं थे, वे एक दूसरे को बधाइयाँ दे रहे थे; कुछ अपने मरहूम माँ-बाप को दुआयें दे रहे थे जिन्होंने उन्हें जबरन ज्योग्रेफी या फिलॉसफी में एम.ए. करवाया।

आखिर तय यह हुआ कि जब तक खतरा टल नहीं जाता इन विभागों के हर टीचर को एक-एक गार्ड दिया जाय। जल्द ही एक दिन कैम्पस में वर्दी और कारबाइनधारी तीन दर्जन सुरक्षा कर्मचारी भेज दिये गये।

हिन्दी-विभाग में डॉ. चन्दोला, डॉ. मधोक और मिसेज़ कथरिया के पास कार थी। वे तो शान से अपने सुरक्षा कर्मचारी को बगल की सीट पर बिठा कर घर ले गए। मुश्किल थी उनकी जिनके पास चार पहिये का वाहन नहीं था।

डॉ. चन्द्रा की दो साल पहले नियुक्ति हुई थी। उनके पास अभी स्कूटर भी नहीं था। उनका घर मुश्किल से एक-डेढ़ किलोमीटर दूर था। कई बार टहलते-टहलते वे पैदल ही युनिवर्सिटी आ जाते। आज वे चले तो उनके पीछे-पीछे साये की तरह उनका गार्ड भी

चला। रास्ते भर उनका कलेजा धुक-धुक करता रहा। यह जानते हुए भी कि यह आदमी उनकी सुरक्षा के लिए तैनात है उन्हें यही लगा कि कहीं पीछे से वह उन पर वार कर दे तो वे यहीं तमाम हो जायेंगे। और भी कई अजीब अनुभूतियाँ उन्हें हुईं। उन्हें महसूस हुआ वे रातोरात वी.आई.पी. बन गये थे। दूर मेरठ में रह रहे उनके पिता और भाई को इस बात का कोई इल्म भी न होगा कि सरकार उनकी जानमाल के पीछे कितना खर्च कर रही है। अब तक उन्होंने यही देखा था कि संसद सदस्य और मिनिस्टरों को सुरक्षा गार्ड मिलते हैं। उनके मकान से सटी हवेली में रामपुर चुनाव क्षेत्र के संसद सदस्य आसिफ कमाल रहते थे। वे सुबह खादी का कलफ लगा कुरता-पाजामा पहनकर तैयार होते और ड्योढ़ी के पास आकर रोज एक खास अन्दाज में पुकारा करते 'अरे भई शैडो, तैयार हो।' उनका शैडो तुरन्त अपने कमरे से निकल सैल्यूट मारता और कारबाइन कन्धे पर टाँग साथ चल देता। उनके परिवार में बहुत दिनों तक यह कौतुक का विषय था कि कारबाइन लेकर चलने वाले इस आदमी का नाम शैडो कैसे हो सकता है या किसी भी आदमी का नाम शैडो कैसे हो सकता है।

इसलिए अपने शैडो का सबसे पहले डॉ. चन्द्रा ने नाम पूछ लिया। दिलेर सिंह नाम सुनकर वे थोड़े सकपका जरूर गये। घर जाते समय रास्ते के बाजार से वे कभी ब्रेड-मक्खन तो कभी फल खरीद लेते थे पर आज वे बिल्कुल खाली हाथ पहुँचे।

पत्नी दीपा ने रोज़ की तरह हँसते हुए दरवाजा खोला। उनके पीछे एक अजनबी सिपाही को देख वह एकदम डर गई और गम्भीर हो गई। उसका चेहरा फीका पड़ गया।

'डरो नहीं, ये हमारी सुरक्षा के लिए हैं' डॉ. चन्द्रा ने पत्नी को ढाढ़स बँधाया।

'तुम्हें किससे खतरा है?' दीपा की दहशत कम होने की बजाय बढ़ गई।

'सरकार सोचती है हमारी जान को खतरा है।'

'मैं कब से कह रही थी कहीं और अप्लाय करो। तंग आ गई मैं तो। न रात को कहीं घूमने निकलते हैं न दिन को। न कोई किसी के घर आता-जाता है। जैसे कर्फ्यू में जी रहे हैं। ऊपर से यह तुम्हारा गार्ड।'

'धीरे बोलो, वह सुन लेगा। उसकी क्या गलती, वह तो अपनी ड्यूटी कर रहा है। अच्छा है, पड़ोस में रौब ही रहेगा।'

'पड़ोस में है ही कौन। सब तो मेडिकल लीव ले लेकर भाग खड़े हुए हैं।'

संस्कृत विभाग के डॉ० धर्मपाल शास्त्री की हालत तो और भी खस्ता थी। वे साइकिल से युनिवर्सिटी आते-जाते थे। आज उन्हें साइकिल चला कर नहीं घसीट कर ले जानी पड़ी। गार्ड के पास कोई वाहन नहीं था। वह अपनी कार्वाइन कन्धे पर लटकाए उनके पास खड़ा रहा। जितनी बार वे उसकी तरफ़ नजर उठाते वह अटेंशन की मुद्रा में सैल्यूअ मारता। उतनी बार उनके मुँह से बरबस आशीर्वाद निकल जाता, 'जीते रहो।'

उनके दोनों बच्चों ने गार्ड को देखा तो सारी शैतानी भूल कर किताब-कॉपी ले कर बैइ गए। पत्नी रसोई में घुस गई। पूरे घर में चुप्पी और मनहूसियत तारी हो गई। खुद शस्त्रीजी का मन नहीं हुआ कि आज टी०वी० चलाया जाय। वे सुबह पढ़ा हुआ अखबार फिर पढ़ने लगे। किसी तरह नौ बजे तो उन्होंने गार्ड से कहा, 'भैया क्यों खड़े-खड़े हलकान हो रहे हो। जाओ घर जाकर सो रहो।'

'आप सुबह कितने बजे जायेंगे?'

'दस बजे।'

'ठीक है मैं हाज़िर हो जाऊँगा।'

शास्त्रीजी ने चैन की साँस ली। अब कम से कम दस बारह घण्टे कारबाइन की मनहूस शक्ल तो नहीं देखनी पड़ेगी। लेकिन

उन्होंने पाया विस्तर का दृश्य आज बेतरह प्रतिकूल था। पत्नी तिनतिना रही थी, 'क्या समझ कर लाए थे यह मुच्छड़ सिपाही? कि कॉलोनी की सारी औरतें तुम्हें बी.आई.पी. समझेंगी?'

वह क्या कहते कि यह उनके वश में नहीं था।

छह महीने में धीरे-धीरे हालात सामान्य हुए। रेडियो, दूरदर्शन से प्रचारित हुआ कि पंजाब में आतंकवाद ख़त्म हो गया। सबूत के तौर पर खेतों में भांगड़ा और घरों में शादी के जश्न टीवी पर दिखाए गए। पर यह तो वहाँ रहने वालों को ही पता था कि कितना नुकसान हो चुका था। कैम्पस के कई होनहार विद्यार्थी शक की चपेट में आकर जेल पहुँच गए। उन पर आतंकवादियों के साथ मेलजोल का आरोप था। किसी की समझ में नहीं आ रहा था कौन आतंकवादी है कौन निरपराध। हर कोई शक के दायरे में। कई लड़कों ने दहशत में अपनी दाढ़ी और केश कटवा दिए। इससे भी बड़ा नुकसान मानसिक स्तर पर हुआ। दोस्तियों में दूरियाँ आने लगीं, प्यार-मुहब्बत में परहेज़ नजर आया और उन्मुक्त संवाद का सिलसिला तो जैसे टूट ही गया। कई प्राध्यापकों ने निजी सुरक्षा के लिए अपने पास पिस्तौल रखनी शुरू कर दी।

डॉ० मधोक हर समय पिस्तौल साथ रखते। घर में भी वे पिस्तौल अपने से अलग न करते। उनकी पत्नी खीझती 'बाथरूम में तुम्हें किससे खतरा है जो पिस्तौल लेकर जाते हो। बिस्तर तक पर पिस्तौल साथ रही है। तुम्हारी हरकतें देख कर तो लगता है तुम्हें सबसे ज्यादा मुझी से खतरा है।'

'तुम कुछ नहीं समझती तो चुप रहा करो।' वे पत्नी को डाँट देते।

यूनिवर्सिटी के हर विभाग को निर्देश मिले थे कि सांस्कृतिक गतिविधियाँ बहाल की जाय। यह देख लिया जाय कि उनमें कौमी एकता, भाईचारा और राष्ट्र प्रेम जैसी भावनाओं की प्रमुखता हो। उन्हीं दिनों यूनिवर्सिटी में मुशायरा आयोजित हुआ। कई बड़े

शायरों के साथ कुछ उदीयमान शायर भी बुलाए गए। यूनिवर्सिटी में उर्दू मजलिस के इस प्रोग्राम के लिए छात्रों में इतना जोश इसलिए भी था कि बहुत दिनों बाद कोई आयोजन हो रहा था। यों तो आतंकवाद काबू में था, चौकसी अब भी बरती जा रही थी। प्रशासन की तरफ़ से कहलवाया गया कि पढ़ने वाली नज़्मों का पहले ही जायजा ले लिया जाय, कहीं कोई भड़काने वाली चीज़ न हो। ऐन मुशायरे के दिन जब यह सुझाव रजिस्ट्रार ने रखा तो आए हुए शायर भड़क गए। अख़्तर साहब ने कहा, 'इसका मतलब है कि आपको हम पर भरोसा नहीं।'

नौजवान शायद परेदशी बोले 'हो सकता है जो शेर हम आपको दिखाएँ वे पढ़ें ही न।'

जाफरी साहब ने कहा, 'मियाँ यों चलनी से छान-छान कर शयरी नहीं चाय चखी जाती है।'

कई शायर नाराज़ होकर चले गए।

लड़के भड़क गए। उन्होंने कहा, उन्होंने कहा, 'यह खौफ़ तो गोली बन्दूक के खौफ़ से भी बुरा है।'

रजिस्ट्रार ने दो दिन की छुट्टी ली और बाहर चले गए।

लड़कों ने प्रोफ़ेसर से कहा, 'सर आतंकवाद इस तरह कभी ख़त्म नहीं होगा। यह तो दफ्तरों से उठता आतंकवाद है।'

लड़कियों ने कहा, 'सर जब आला अफसरों और मिनिस्टरों में से कोई गुजरता है तो दत्राती हुई कितनी गाड़ियाँ एक के बाद एक निकलती हैं। वह आतंक नहीं तो और क्या है।'

प्रोफेसर बत्रा ने कहा, 'वह सुरक्षा का आतंकवाद है। आज़ादी के इतने बरसों में इसके साथ जीना सीखना होगा तुमको।'

छात्र भड़कते थे पर डिग्री और पढ़ाई की खातिर खुल कर सामने नहीं आते। गुस्सा उनके अन्दर कचपच भरा रहता।

मार्च में डॉ० मधोक को कुछ छात्रों की मौखिक परीक्षा लेने जालंधर जाना था। प्रोफेसर बत्रा को भी जालंधर से अपनी लैब के

लिए उपकरण खरीदने थे। दोनों कार से चले! प्रोफेसर बत्रा अलमस्त आदमी थे। उन्होंने जगजीत सिंह की गज़लों का कैसेट लगा दिया और साथ-साथ गुनगुनाने लगे।

डॉ० मधोक को उनकी बेफिक्री डिस्टर्ब कर रही थी। उन्हें कार में बैठ कर सीधे सामने सड़क पर ध्यान देना पसन्द था। हालाँकि सड़क एकदम साफ़ और सीधी थी, वे गड्ढे और स्पीड ब्रेकर की आशंका में बहुत सावधानी से ड्राइव कर रहे थे।

कुछ देर बाद उन्हें आभास हुआ कि कोई गाड़ी उनका पीछा कर रही है। उन्होंने स्टीरियो बन्द कर दिया और शीशे में देखा। सचमुच उनसे लगभग सौ मीटर दूर एक सफेद रंग की कार आ रही थी।

'बत्रा अब समझो मारे गये, ज़रूर आतंकवादियों को हमारे जाने की खबर थी। वह गाड़ी सीधे हमारे पीछे-पीछे आ रही है।'

'तुम भी कमाल करते हो, तुम्हें कैसे पता उसमें आतंकवादी हैं?'

'शरीफ़ आदमी आजकल घर से निकलते ही कहाँ हैं?' उन्होंने कहा।

सफर की सारी मस्ती तबाह हो गयी। प्रोफेसर बत्रा ने फिर से स्टीरियो चलाना चाहा तो मधोक ने हाथ से रोक दिया, 'प्लीज़ बत्रा मुझे नॉर्मल तो हो लेने दो।' उन्होंने कमर से लटकती पिस्तौल छू कर तसल्ली की फिर बोले, 'मैं तो अपनी बीवी को यह भी बता कर नहीं आया कि जी.पी.एफ. और बीमे के कागज़ कहाँ रखे हैं। वह ढूँढ भी नहीं पायेगी।'

'कैसी मनहूस बातें कर रहे हो। कल तक हम लोग वापस पहुँच जायेंगे।'

'बचेंगे तो पहुँचेंगे।'

उनका ध्यान हटाने के लिए बत्रा ने कहा, 'वह देखो आगे महाशयां दा ढाबा। वहाँ रुक कर चाय पी जाय। इतने में पीछे

वाली गड्डी भी आगे निकल जायेगी।'

ढाबा हमेशा की तरह गुलज़ार था। दो-तीन ट्रक वहाँ खड़े थे। सामने पड़ी चारपाइयों पर ड्राइवर लेटे हुए थे। एक आदमी नहा रहा था।

तभी प्रोफेसर मधोक चौंक गये। पीछे वाली कार भी उसी ढाबे पर आकर रुक गयी। उसमें से तीन नौजवान उतरे। उन्होंने भी चाय का ऑर्डर दिया।

बत्रा ने कहा, 'देख लिया। तुम खामखा डर रहे थे। ये तो कॉलेज में पढ़ने वाले मुण्डे लग रहे हैं।'

तीनों नौजवान टी-शर्ट और जीन्स पहने हुए थे। उनमें से एक के हाथ में लोहे की मुड़ी हुई एक छोटी-सी छड़ थी।

'वह देखो हथियार', मधोक ने धीरे से इशारा किया।

'अरे यह तो ढोल बजाने के काम आती है। हो सकता है कहीं भाँगड़ा डालने जा रहे हों।'

'अजब आदमी है तू। तुझे सारी तरफ़ हरा ही हरा नजर आता है। छड़ हमारी नाक पर पड़ेगी तो सारा भाँगड़ा भूल जायेंगे।'

'मैं जाकर उनसे पूछ कर आऊँ।'

'खबरदार, फिर तो न मरते हों तो भी मारे जायेंगे।'

'यार, मुझे पता होता तुम इतने डरपोक हो तो कभी तुम्हारे साथ न आता। पिस्तौल लटकाए फिरते हो फिर भी चैन नहीं। हमें देखो, सीना तान कर जीते हैं।'

'सच तो यह है कि आजकल पंजाब में जीने से ज्यादा मरने का कलेजा चाहिए। मेरे सारे काम अभी अधूरे पड़े हैं, इसी का फिकर है।'

'देखो, काम किसी के पूरे नहीं होते। फिर हमें मार कर किसी को क्या मिलेगा। जेब में मुश्किल से पाँच सौ रुपये हैं।'

'तुम जानबूझ कर नासमझ बन रहे हो', डॉ. मधोक ने कहा।

काले बादल का एक टुकड़ा आकाश में घिरा हुआ था। मौका

देख वह बरस पड़ा। ढाबे के महाशयां ने कहा, 'बादशाहो अन्दर बैठ जाओ, अन्दर भी मंजे पड़े हैं।'

दोनों प्रोफेसर अन्दर चले गये। प्रोफेसर बत्रा को खाने की खुशबू से भूख लग गयी।

खाना मँगाया गया। कुछ देर को वे सारी दहशत भूल कर साबत मा दी दाल और तन्दूरी रोटियों का स्वाद लेते रहे।

पेट में रोटी पड़ने पर मधोक का मूड कुछ ठीक हुआ। उसने कहा, 'बत्रा, अब कार तुम चलाना। मैं पिस्तौल हाथ में लेकर ड्यूटी दूँगा।'

बाहर जब वे आये बारिश थम चुकी थी। तीनों नौजवानों समेत उनकी कार नदारद थी। प्रोफेसर मधोक ने आशंका से महाशयाँ से पूछा, 'वो लड़के कहाँ गये जो चाय पी रहे थे।'

'वे तो बारिश से पहले ही चले गये जी। सामने रोपड़ के कॉलेज में पढ़ते हैं। उनमें से एक बिन्दर ढोल बहुत शानदार बजाता है। बाकी दो इतना फर्स्ट क्लास नाचते हैं कि पूछो मत।'

'तुम उन्हें पहचानते हो?'

'बिल्कुल जी। रोज मेरे ढाबे पर आते हैं। उनका उधार मेरी कॉपी में लिखा रहता है।'

प्रोफेसर मधोक ने बत्रा को पैसे नहीं देने दिये। वे अन्दर से एकदम हल्का महसूस कर रहे थे।

बत्रा ड्राइवर सीट की तरफ बढ़े तो उन्होंने रोक दिया, 'तुम जगजीत सिंह की गजलें लगाओ। गाड़ी मैं चलाऊँगा।'

रास्ते में बत्रा ने कहा, 'बताओ किसका अन्दाज सही निकला?'

प्रोफेसर मधोक बोले 'मैं भी गलत नहीं था। आखिर पेशेवर आतंकवादी भी ऐसे ही बीस-बाइस के लड़के होते हैं।'

'पर हम लोग तो सारा दिन लड़कों के बीच रहते हैं, हमें परख होनी चाहिए।'

'मुझे यह कहने में कोई शर्म नहीं

मानदंड गलत साबित हो गये हैं। क्या तुम अखबार नहीं पढ़ते।'

'आँकड़े केवल आंशिक सच्चाई बयान करते हैं। कोई भी आतंकवादी पैदा नहीं होता, बनाया जाता है। हालात में फँसा आदमी हैवान बन जाता है। पुलिस की ज्यादतियाँ, हमारे शक-शुबहे रातोरात एक अच्छे-भले लड़के को आतंकवादी बना डालते हैं।'

'दरअसल रही-सही कसर सुरक्षा के आतंक ने पूरी कर दी है। न यूनिवर्सिटी से हमें गार्ड मिलते न डर हमारे जेहन में इस कदर उतरता।'

'यह भी एक सरलीकरण है।' बत्रा ने दूसरा कैसेट लगाते हुए कहा।'

इलाज

मिन्टो पार्क में शाम को घूमना कामशास्त्र की पुस्तक से गुज़रने जैसा अनुभव था। वहाँ घुमन्तुओं के लिए पार्क की चारों तरफ पक्की वीथी बनी हुई थी। हरियाली शुरू होने से पहले पत्थर की बेंचे पड़ी हुई थीं। सामने झील के बीचोबीच एक नाव खड़ी रहती। शाम छह बजे नाव के बीच से रोशनी और पानी का रंगीन फौव्वारा फूटने लगता। बेंचों तक उड़कर फुहारें आतीं और बैठने वालों को छू जातीं। यहाँ पैदल दो चक्कर लगाने से एक किलोमीटर की सैर हो जाती। लेकिन हर दो कदम पर बेंच और बेंच पर बैठे जोड़ों की मौजूदगी अभिधा को संकोच में डाल देती। ये जोड़े निश्चल न होते। इनकी चंचलता और उफान सामने झरते फौवारे से टक्कर लेता। आलिंगन, चुम्बन से आगे की क्रियाओं का अभ्यास भी यहाँ होता रहता। कभी किसी लड़की के मुँह से निकली सिसकारी सुनायी आ जाती तो कभी लड़के के मुँह से निकली फुसफुसाहट। ये महानगर के लैला-मजनूं बगैर छत और दीवार के अपनी हसरतों पर अँधेरे का शामियाना लगा कर अपने को दुनिया के आगे महफ़ूज़ समझते। आठ बजते ही चौकीदार की सीटी बोल उठती। वह कई बार सीटी बजाता। उसके बाद वह डंडा लेकर हर बेंच के आगे ज़मीन पर प्रहार कर बोलता 'टाइम अप।'

मिन्टो पार्क से मीनाक्षी आइ हॉस्पिटल की बिजलियाँ जगमगाती दिखतीं। हॉस्पिटल डिस्नेलैण्ड जैसा जादुई लोक लगने लगता। फाटक के आगे कारों की कतार अस्पताल की कामयाबी का ऐलान

करती और फाटक से सटी दवा की दुकान पर ग्राहकों की भीड़ जता देती कि कलकत्ते में आँख के मरीज़ दिन पर दिन बढ़ रहे हैं।

यह शहर का बहुत बड़ा अस्पताल था जिसकी मंज़िलें गिनना उसके लिए कभी आसान नहीं रहा। अस्पताल के दरबान ने बताया था कि यहाँ सत्रह मंज़िलें हैं। नेत्र-चिकित्सा के लिए इतना बड़ा अस्पताल और वह भी घर के इतने नज़दीक, यह उसकी आँखों की खुशकिस्मती थी। उसके घर की चौथी मंज़िल से अस्पताल का परिसर, विस्तार और वैभव दिखता रहता। एकदम झक़ सफेद इमारत में हल्के नीले रंग के पर्दे दूर से ही आँखों को शीतल कर देते।

शहर के नामी-गिरामी धन्ना सेठ की दानशीलता का प्रताप था कि उन्होंने इतना विशाल अस्पताल बनवाया और एक प्रकार से जनता को अर्पित कर दिया। अस्पताल का रखरखाव देखते हुए, मरीज़ से ली जाने वाली फीस नगण्य ही थी, मात्र सौ रुपये। यही वजह थी कि अस्पताल मरीज़ों से भरा रहता। आँख के छोटे-मोटे इलाज से लेकर आँख का प्रत्यारोपण तक यहाँ उपलब्ध था।

आँख-कान और दाँत की खासियत यह है कि जब तक ये अंग अपना काम करते चलें, इन पर ध्यान देने की, पैसे बहाने की कोई ज़रूरत नहीं पड़ती। ज़्यादा से ज़्यादा आँख पर चश्मा लग जाता है और हम सोचते हैं हमने आँख का उपचार कर डाला। कान पर तो इतना भी ध्यान नहीं दिया जाता। हाँ, जिनके कानों में छेद हैं उन्हें बुन्दे खरीदने का शौक हो सकता है। दाँत ज़रूर दो वक्त मँजाई माँगते हैं और जब दुख देने पर आ जायँ तो समूल उखड़वाने पड़ जाते हैं।

शाम के समय अपने कई मित्रों के साथ अभिधा मिन्टो पार्क में घूम रही थी कि उसके मुँह से यों ही निकल गया, 'जब इतना अच्छा अस्पताल पड़ोस में हो तो बीमार पड़ने की इच्छा होती है।' नियति ने उसी समय नेपथ्य में तथास्तु बोला था शायद।

अभिधा का काम कुछ ऐसा था कि हर वक्त वह लिखती या पढ़ती रहती। कभी ग्रन्थ योजनाओं पर कार्य, कभी संस्था का इतिहास-संकलन, कभी लेखकों की परिचय-तालिका, उसके प्रतिष्ठान में अनुसंधान के अनेक प्रकल्प थे। संस्थान के अनुसंधान अधिकारी आँखों पर तीन चश्मे चढ़ा कर सारे दिन कोशों की छानबीन करते। बल्कि चार। एक तो वे बाइफोकल चश्मा लगाते। दूसरे उनके ऊपर एक अन्य लैन्स का प्रत्यारोपण करते। तीसरे वे एक ऐसा लैन्स लगाते जिसे बात करते समय वे फाटक की तरह ऊपर उठा देते। उस वक्त वे किसी रहस्य-गाथा के खलनायक लगते।

उन्हें देख कर अभिधा डर जाती। क्या उसकी नज़र का भी यही हश्र होना है? व्याकरण या वर्तनी की भूल वे यों लपक कर पकड़ते जैसे बिल्ला चूहा पकड़ता है। फिर वे भाषा की शुचिता पर एक छोटा-सा व्याख्यान देते। समापन वे इस घोषणा से करते कि उन्हें भाषा में हमेशा शत-प्रतिशत अंक मिलते थे।

अभिधा ने पाया किताबों के प्रूफ़ देखते, पांडुलिपि पढ़ते और लेखन कार्य करते समय उसकी आँखे गीली हो जातीं। पहले तो उसने इस पर ध्यान नहीं दिया। रूमाल से आँखें पोंछ वह फिर काम पर जुट जाती। लेकिन जल्द ही उसका चश्मा गीला होने लगा। वह चश्मा उतार देती तो अक्षर धुँधला जाते। कहाँ वह पचास पृष्ठ तक पढ़ और जाँच जाती थी, कहाँ उसके लिए पाँच पृष्ठ भी देख लेना यंत्रणा बन गई। उसने आँख की दवा डाल कर कुछ दिन काम चलाया पर हर दवा बस दो-चार दिन प्रभाव दिखा कर निष्प्रभावी हो जाती। इसी घबराहट ने उसे मीनाक्षी आइ हॉस्पिटल में ला बैठाया। फीस जमा करने के बाद उसने मुख्य हॉल में प्रवेश किया।

उसने देखा बहुत से मरीज़ उससे भी कम उम्र के थे। बल्कि स्कूली बच्चों की संख्या भी मज़े की थी। कुछ लोगों की आँख में दवा टपकाई जा चुकी थी, वे आँखें बन्द कर सन्त मुद्रा में बैठे हुए थे।

ज़्यादा इंतज़ार नहीं करना पड़ा। उसका नाम पुकारा गया। जिस डॉक्टर के पास उसे भेजा गया उसकी आँखें बड़ी-बड़ी थीं, जामिनी राय के चित्रों में बनी आँखों जैसी लम्बी, चेहरे के फ्रेम से बाहर आती लगतीं। उसने बड़े ध्यान से अभिधा की आँखें जाँची। अभिधा उसे आँख में आते पानी के विषय में फिर से बता रही थी 'डॉक्टर साहब बस मेरी आँखों से पानी का बहना बंद कर दीजिये, लोग सोचते होंगे यह लड़की रो रही है।'

डॉक्टर मुस्कुराया 'आपको लोगों की परवाह है!' 'गलत समझे जाने की चिन्ता है। खासकर ऑफिस में कितना बुरा लगता है, पोंछते-पोंछते, आँख का सारा काजल बह जाता है।'

डॉक्टर ने कहा, 'हमारे पास ज़्यादातर मरीज़ ऐसे आते हैं जिनकी समस्या है सूखी आँखें। वे आँखों के निर्जलीकरण से त्रस्त रहते हैं।

'सूखी आँखों को तो पानी के छींटों से नम किया जा सकता है।' अमिधा ने कहा।

'नहीं मैडम सूखी आँख का तनाव जल्द ठीक नहीं होता। लाख आइ ड्रॉप डालिये, कुछ नहीं होता।' अभिधा ने डॉक्टर की बड़ी-बड़ी आँखों की तरफ़ देखते हुए सोचा, अगर इन्हें आइ ड्रॉप डालनी हो तो एक की जगह तीन बूँद डालनी पड़े। प्रकट में उसने कहा, 'तब आप क्या करते हैं?'

'यहाँ हर चीज़ का इलाज है।'

डॉक्टर उसके पर्चे पर अपनी टिप्पणी लिख रहा था।

'आप कक्ष संख्या पाँच में चली जायँ' कहने के साथ उसने बज़र दबाया। सिस्टर के आने पर उसने उसे अभिधा के साथ कर दिया।

पाँचवें कक्ष में बैठा नेत्र-विशेषज्ञ शक्ल से ही वरिष्ठ और गरिष्ठ लग रहा था। उसने पर्चा पढ़ा, चश्मा उतारा, अपना और अभिधा का। डिजिटल मशीन पर उसने जाँच की। पर्चे में अपना टीप बैठाया।

फिर वह एक बेहद बारीक तार जैसी सुई अपने दस्ताने युक्त हाथ में लेकर अभिधा की आँख की तरफ़ बढ़ा।

इससे पहले कि वह कुछ समझे विशेषज्ञ ने आँख की कोर में सुई चुभा दी।

'आह!' अभिधा के कण्ठ से तीखी चीख निकली। उसने आँख की कोर से सुई बाहर निकाल खींची, 'यह क्या कर रहे हैं डॉक्टर?'

'इलाज शुरू कर रहे हैं। आँख से पानी गिरता है न!'

'लेकिन इस तरह सुई चुभोने से तो खून भी गिरने लगेगा।'

डॉक्टर क्रुद्ध और कुपित हो गया, 'सर्जन को हत्यारा कहती हैं आप? मेरा समय नष्ट कर रही हैं।'

अभिधा ने अपनी दोनों आँखों पर हाथ रखते हुए पूछा,

'मैं जानना चाहती हूँ आप क्या करने जा रहे हैं।'

'मैं आपको जवाब देना ज़रूरी नहीं समझता।'

'जानना मेरा अधिकार है।'

'लुक मैडम, डॉक्टर ने दीवार पर लगे एक चित्र की ओर उँगली की 'आँख की ग्लांड से हम तरल पदार्थ निकाल कर जाँच करेंगे कि वह संक्रमित द्रव है या आँसू या कुछ और?'

'नहीं, वह संक्रमित द्रव नहीं है, उसमें से कोई बू नहीं आती।'

'यह आप नहीं, हमारी लैब तय करेगी, तब आपका उपचार आरम्भ होगा।'

अभिधा ने अपना रूमाल दिखाया, 'इससे जाँच कर लीजिये, यह आँख के पानी से भीगा हुआ है।'

'आप फिजूल की बातें कर रही हैं। आपको कोई संक्रामक रोग हो सकता है। हो सकता है आपकी नाक से भी द्रव बहता हो, दोनों की ग्लांड एक है।'

'मेरी नाक बिल्कुल नहीं बहती डॉक्टर।'

सर्जन ने एक बार फिर वह सूक्ष्म सुई उसकी आँख के आगे की 'तो काम शुरू करें।'

'नहीं', अभिधा कुर्सी से उठ खड़ी हुई।

डॉक्टर ने बज़र दबाया। नर्स प्रकट हुई। डॉक्टर के इशारे पर वह अभिधा को बैठाने लगी।

अभिधा ने कहा, 'सॉरी डॉक्टर, मुझे इलाज नहीं करवाना।'

'नॉनसेंस।' डॉक्टर ने कहा, और दस्ताने उतारते हुए अपनी कुर्सी की तरफ़ मुड़ गया।

अभिधा लिफ्ट की बजाय सीढ़ियाँ उतरने लगी जैसे लिफ्ट में से कोई उसे जबरन खींच कर पाँचवें कक्ष में भेज देगा। जब वह सात मंज़िलें उतर कर नीचे पहुँची दहशत के मारे उसकी आँखों से पानी की जगह अंगारे निकल रहे थे।

दूसरी आज़ादी

जब वे पहले-पहल इस घर में आये, तमन्ना भी नयी थी और कॉलोनी भी। जीवन भी नया था और अनुभव भी। शहर से दूर, गंगा के किनारे बनी इस कॉलोनी में खुले-खुले दुमंज़िले मकान थे जिनके आगे की कच्ची ज़मीन में बेला महकता और पिछवाड़े जामुन और अमरूद के पेड़ लहलहाते। मकान सब एक से थे, उनके नम्बर अलग-अलग थे। दरअसल यह मकान उन रुपयों से खरीदा गया था जो बेटों ने अरब से कमा कर माँ-बाप को भेजे थे। तमन्ना के शौहर वसीम के दो और भाई थे। वसीम की शादी पर तीनों भाई इकट्ठे हुए। उनके माँ-बाप प्रतापगढ़ से आये हुए थे और वे रिश्तेदारों को बड़े चाव से मक्का से लाई हरे रंग की तस्वीर तोहफे में देते कि यह सीधे वहीं से मँगाई है। घर का हर कमरा बच्चों की शरारतों से खिला-खिला रहता। दोनों भाइयों ने प्रतापगढ़ वाली ज़मीन पर अपने मकान बनवा रखे थे लेकिन इलाहाबाद के मकान में भी वे बराबर के हिस्सेदार थे।

सास-ससुर कुछ दिन साथ रह कर वापस प्रतापगढ़ चले गये जहाँ उनकी एक ट्रक और दो टूरिस्ट बसें दिहाड़ी पर चलतीं। खान साहब को आये दिन गाड़ियों की मरम्मत, सर्विसिंग और चालान के सिलसिले में गैरेज, मिस्त्रियों और थानों से रिश्ता रखना पड़ता। प्रतापगढ़ से ज़्यादा दिनों के लिए हटना उनके लिए मुमकिन न था। दोनों बड़े भाइयों के परिवार भी प्रतापगढ़ में रहते। भाभियाँ सिर्फ गर्मी-सर्दी की छुट्टियों में थोड़े दिनों के लिए आ पातीं जब

उनके बच्चों के स्कूल बन्द होते।

जाते समय ऊपर के दोनों कमरों में, सम्बन्धी ताले लगा गये 'ये हमारे कमरे हैं। जब हम आयेंगे तो खुलवा कर सफाई करवा लेंगे। इतना बड़ा मकान नई दुलहन से सँभलेगा नहीं। रह गये बस निचली मंज़िल के तीन कमरे, रसोई और आगे-पीछे की जगह। वसीम और तमन्ना के लिए इतनी जगह काफी थी। गैरेज में नयी चमचमाती हुई गाड़ी खड़ी थी पर तमन्ना को ड्राइविंग नहीं आती थी। उसने कहा, 'इतने ड्राइवर अब्बू के पास आते हैं, किसी से कहिये हमें गाड़ी चलाना सिखा दे।'

वसीम बोला, 'क्या करोगी ड्राइविंग सीख कर, इससे अच्छा है अरबी सीखो, कुरान शरीफ़ पढ़ना रवां करो। जब कहीं जाना होगा, अब्बू अपने आप ड्राइवर भेज देंगे।'

महीने भर बाद वसीम को वापस अरब जाना था जहाँ वह सिलाई का काम करता था। वह बहुत हुनरमंद कारीगर माना जाता था।

जाने से पहले उसने तमन्ना के लिये पूरे साल का टाइमटेबिल बना दिया। तमन्ना हँसने लगी 'यह मुझ पर छोड़िये कि कब मुझे पीहर जाना है, कब ससुराल। अभी तो मैं बी.ए. पूरा करूँगी।'

वसीम उखड़ गया 'कोई नौकरी तो करवानी नहीं है हमें, फिर डिगरी से फायदा।'

'आपने बी.ए. क्यों किया था?'

'अब पछता रहा हूँ। इण्टर के बाद ही टेलरिंग में लग गया होता तो अब तक बहुत तरक्की कर लेता।'

'पढ़ाई भी ज़रूरी है?'

'नेक औरत की तरह घर में रहना उससे ज़्यादा ज़रूरी है' वसीम ने कहा। तमन्ना चुप हो गई पर मन ही मन उसने सोच लिया कि वह प्राइवेट परीक्षा का फॉर्म तो भर ही देगी। आखिर इसमें बुराई क्या है।

वसीम अरब से बहुत कीमती, भारी और भूरे रंग का नकाब लाया था। उसका कहना था अव्वल तो बाज़ार के चक्कर लगाने का काम भैया कर देगा, फिर भी कभी बाहर निकलना ही पड़े तो तमन्ना नकाब डाल लिया करे।

एक दिन तमन्ना ने अपने लाल सूट के ऊपर यों ही नकाब पहना तो अपने आप को आइने में देख उसे हँसी आ गयी। नकाब इतना बड़ा और भारी था कि वह सिर से पैर तक ढँक गई फिर भी वह ज़मीन पर लिथड़ रहा था। ऐसा लगा जैसे कमरे में तमन्ना नहीं, कोई भूरे रंग का भूत खड़ा है।

वसीम ने चाहा कि वह नकाब थोड़ा काट कर नाप का बना दे पर तमन्ना ने कहा, 'आप छुट्टी पर आये हैं क्यों परेशान होते हैं। मुझे भी सिलाई आती है, मैं खुद ठीक कर लूँगी।'

तमन्ना का बदन हलका था और रंग गुलाबी। दुबली होने की वजह से कई बार वह वसीम से थोड़ी लम्बी भी नज़र आती। वसीम उससे छह साल बड़ा था। वह हमेशा संजीदा सूरत बनाये रहता जबकि तमन्ना को बात-बात पर हँसी आती। कभी वह वसीम के पेट पर गुदगुदी कर उठती 'थोड़ा हँसा कीजिये न, जल्दी हँसिये।'

ऐसा लगा महीने भर की छुट्टी बहुत जल्द बीत गयी। तमन्ना को वसीम तमाम हिदायतें दे कर भारी मन से वापस अरब चल गया। बस इतनी तसल्ली थी कि प्रतापगढ़ की उनकी पुरानी खिदमतगार शकीला घर का काम करने के लिए पहले से मौजूद थी और गाँव से चच्चू ने अपना छोटा लड़का भैया भेज दिया था। वसीम ने अम्मी को भी समझा दिया कि बीच-बीच में आकर तमन्ना की देखभाल कर लें।

शुरू-शुरू में अम्मी हर हफ्ते प्रतापगढ़ से आ जातीं। उन्हें यह सुभीता था कि अपनी ही बस में बैठ कर चली आतीं। कभी वे तमन्ना को प्रतापगढ़ लिवा ले जातीं पर इलाहाबाद वाले घर का दरवाजा खुला रखना भी ज़रूरी होता। उनकी दोनों बसों का रूट

प्रतापगढ़-इलाहाबाद था। जो ड्राइवर इलाहाबाद का था वह आखिरी ट्रिप पर, कमाई का हिसाब तमन्ना को सौंप देता। तमन्ना हिसाब-किताब में अच्छी थी। खान साहब को इस बात का फख्र था कि उनकी तीनों बहुएँ पढ़ी-लिखी हैं।

कभी-कभी तमन्ना उदास हो जाती। उसे लगता अभी वह बिन ब्याही है। अप्रैल का आनन्द मई-जून तक कसक भरी याद बन गया जैसे इसी वजह से उसका नाम तमन्ना रखा गया होगा। लेकिन उसके आस-पास सभी परिवारों में ऐसे रिश्ते हुए थे। रिश्ता तय होने में लड़के का साउदी में काम करना बड़ा अहम माना जाता। उसके अपने दो भाई आबूधाबी में काम करते और भाभियाँ यहाँ रहतीं। उनके समाज में साउदी शब्द कामयाबी का पासवर्ड था। वहाँ के पैसों के बल पर लड़कों के परिवार कहीं भी ठसक के साथ रहते। सासें अपनी बहुओं से प्रेम से बोलतीं क्योंकि उन्हीं के जरिये बेटों की कमाई माँओं तक पहुँचती। परिवार के लोग कोई धन्धा शुरू कर लेते। पन्द्रह-बीस साल में कमाऊ पूत साउदी से लौट आते और उस धन्धे से जुड़ कर उसे और भी चमका लेते।

सालाना छुट्टियों में वसीम के आने-जाने का प्रताप था कि तमन्ना तीन साल में दो बेटियों की माँ बन गयी। अधूरी पढ़ाई पूरी करने का वक्त ही न मिला। देखते-देखते बच्चियों के दाँत निकले, उन्होंने पहला कदम भरा और नन्हे-नन्हे कदमों से घर में चलना शुरू किया। यह सब देखने को वसीम कभी घर में नहीं था।

'आखिर ऐसे कब तक चलेगा?' तमन्ना वसीम से पूछती।

'थोड़ा और सब्र करो जानेमन। इतना पैसा कमा लूँ कि यहाँ सिविल लाइंस में बढ़िया शो रूम खोल लूँ।

ताऊ-ताई के बच्चों की नकल पर नूर और रूही अपने पापा को चच्चू कहतीं तो वसीम को बड़ी शिकायत होती।

'अब इन बच्चों के लिए मैं चच्चू बन गया।'

'ये क्या जानें पापा और चच्चू का फ़र्क। आप तो कभी-कभी

मिलने वाली मिठाई हैं, जो कभी-कभी आयें वे चच्चू।' तमन्ना चिढ़ाती।

वसीम को ऐसे मज़ाक अच्छे न लगते। उसके हिसाब से ज़िन्दगी की यह कोई खराब शक्ल नहीं थी कि वह रियाद से साल में एक बार आसे और एक महीने जी भर कर रह ले। वह तमन्ना को बाँहों में लेकर कहता, 'तुम तो मेरे लिए हमेशा नयी रहती हो जानेमन। इतनी लपक तो माशूका के लिए भी नहीं होती जितनी मुझे बीवी की होती है, तुम कितनी लकी हो।'

तमन्ना को भी इस तरह रहने की आदत पड़ती जा रही थी। बहरहाल अपने को लकी मानने की उसकी वजहें दूसरी थीं। सूरत उसकी पहले ही सुहानी थी, बच्चों को जन्म देने के बाद बदन भी गदरा गया। वह आइने में अपने को देखती तो देखती चली जाती। उसे पता था वह कॉलोनी की सबसे सुन्दर लड़की है। हाँ, लड़कपन अभी पूरा मिटा नहीं था। शायद शौहर के हरदम पास न रहने की वजह से, ग्यारह महीनों का लावण्य बरक़रार था। खाली वक्त में वह जम कर शॉपिंग करती, पिक्चर देखती, सहेलियों के संग फोन पर गप्प मारती। रिश्तेदारियाँ भी सब आस-पास थीं। कोई न कोई आता रहता।

वसीम यह सब जानता था। वह फोन से परिवार की खबर लेता रहता। मोबाइल पर न करके वह फोन हमेशा लैंडलाइन पर करता। अगर कभी फोन न उठाया जाता वह चिढ़ जाता। मियाँ-बीवी में झड़प हो जाती। लैंडलाइन के और भी झंझट थे। तंग आकर तमन्ना ने लैंडलाइन फोन कटवा दिया।

पता चलने पर वसीम बिगड़ा 'अच्छा भला लैंडलाइन था, क्यों हटवाया। कम से कम भैया ही उठा लेता था कभी।'

'भैया वापस गाँव चला गया।'

'तुम तो बिना मुझसे पूछे जो मर्जी करती रहती हो। अब बच्चों को स्कूल छोड़ने कौन जायेगा। बाज़ार का काम कैसे होगा?'

'सब हो जायेगा, आप फिजूल फिक्र मत कीजिये।' तमन्ना ने कहा।

'अकेले रहोगी तो सौ परेशानियाँ हैं। भैया को वापस बुला लो।'

'उसे तो मैं कभी नहीं बुलाऊँगी। वह सारा दिन कॉलोनी में आवारागर्दी करता था। स्कूल भी कभी जाता कभी नहीं। ज़रा भी कहना नहीं सुनता था।'

'फिर भी, मदद तो करता था।'

'बाज़ आयी मैं ऐसी मदद से', तमन्ना ने कहा।

नूर ने फोन लेकर बताया 'चच्चू पापा हम मम्मी के साथ स्कूल जाते हैं, बहुत मज़ा आता है।'

वसीम बौखला गया। उसने कहा, 'बेटा मम्मी को फोन दो।'

तमन्ना से उसने पूछा, 'बुरका पहन कर जाती हो न।'

'हाँ, बुरका तो तुम दे ही गये थे, दो मैंने और मँगा लिये हैं। वाक़ई तमन्ना बच्चों को स्कूल छोड़ने और वापस लाने के लिए घर से बाहर निकलती। यह काम उसे बहुत अच्छा लगता। अन्य बच्चों की माँओं से परिचय भी होने लगा था। कुछ बच्चों के पिताओं से भी दुआ-सलाम हुई। तमन्ना के पास इतने सुन्दर कपड़े थे। तमाम सलवार-सूट पहनने का मौका भी न आता। अब वह बच्चों को स्कूल पहुँचाते समय अपने रंग-बिरंगे सूट पहनती और खुश होती। इतने खुशगवार कपड़ों पर भूरे-काले रंग के नकाब पहनना, कपड़ों की तौहीन लगता उसे। कुछ दिन वह, तहा कर, नकाब को बाँह पर रख लेती। फिर उसने यह तकल्लुफ भी खत्म कर दिया। उसकी दोस्तों ने कहा, 'बेहतर यह है जब शौहर आये तब नकाब में रहो। तमन्ना ने कहा 'मैं तो नकाब सिर्फ उस सूरत में पहनती हूँ जब मुझे कपड़े बदलने में आलस आये।'

स्कूल पास ही था। सुबह-सवेरे का टहलना हो जाता। लौटते हुए तमन्ना गोश्त, सब्ज़ी, ब्रेड जैसी चीज़ें खरीद लाती। कॉलोनी के

दुकानदार भी अब उसे पहचानने लगे थे।

देखते-देखते इधर कॉलोनी में एक नया चलन शुरू हुआ। जैसे ही घरों के मर्द काम पर चले जाते, बुज़ुर्ग नाश्ते के बाद की नींद में अलसाते, कॉलोनी में कुछ नौजवान लड़के कन्धे पर बड़ा-सा बैग उठाये या युवतियाँ हाथ में भारी-सा थैला लटकाये आ जातीं। ये आधुनिक किस्म के फेरीवाले थे जो घर-घर जाकर सामान बेचते। इनके पास प्लास्टिक के डिब्बे, फोल्डिंग चौकी, पर्स, टॉर्च, डोंगे, प्लेटें, परोसने वाले बड़े चम्मच, पानी की बोतलें जैसी चीज़ें होतीं। युवतियाँ ज़्यादातर बिस्किट, नमकीन, टूथपेस्ट साबुन, लिपस्टिक और अन्तर्वस्त्र बेचतीं। एक सामान खरीदने पर अक्सर ये फेरीवाले एक सामान मुफ़्त देते। गृहणियों को सबसे ज़्यादा आकर्षण इस मुफ्त चीज़ का होता। ग्यारह से दो बजे का समय एक छोटी फुर्सत का समय था। तब घर में न पति होते न बच्चे। तमन्ना के साथ तो पति वाली बन्दिश भी नहीं थी। उसे अक्सर दो चीजों का इन्तज़ार रहता, डाकिये का और फेरीवालों का। कई फेरीवाले तो सचमुच स्मार्ट लगते। तमन्ना बेज़रूरत सामान भी खरीद लेती और प्रतापगढ़ वाले परिवारों में बाँट देती।

सर्दियों में ऊनी कपड़ों का गट्ठर लेकर पठान फेरीवाले घर-घर घूमते। वक्त काटने के लिए तमन्ना किसी फेरीवाले को रोक लेती। वे शॉलों की तहें खोल-खोल कर बेशुमार बेलबूटे उसके आगे बिछाते। तमन्ना को ज़रूरत किसी चीज़ की न थी। वह पहले ही सिविल लाइंस से शॉपिंग कर चुकी होती। फिर भी वह कभी बच्चों की जैकेट या अपने लिए शॉल खरीद डालती।

एक दिन वह धूप में मूढ़ा डाल कर बैठी हुई चाय पी रही थी ठण्ड बेहिसाब थी। सूरज भी बारह बजे नमूदार हुआ था। तभी फेरीवाला कमाल खान आया।

'मैडम शॉल लेंगा, एकदम नया माल आया है।'

तमन्ना ने मना कर दिया पर कमाल थका हुआ था या उसे

भरोसा था कि माल देखने पर ग्राहक को ज़रूर कुछ पसन्द आ जायेगा। वह वहीं चबूतरे पर बैठकर शॉल दिखाने लगा—कश्मीरी, जमावार, पश्मीना, कढ़ाई वाले—वह शॉल दिखा भी रहा था और देख भी। तमन्ना ने यों ही पूछ लिया, 'चाय पियोगे।'

वह अन्दर से चाय का ग्लास ले आयी।

दरअसल एक कप चाय बनाना उसे कभी न आया। जब भी वह चाय बनाती, एक कप चाय ज़्यादा बन जाती। बनी-बनायी चाय ज़ाया जाय, इससे अच्छा है किसी के मुँह लग जाय। यही सोच कर वह कभी शकीला को दे देती तो कभी ढँक कर रख छोड़ती। धीरे-धीरे यह रखा हुआ कप जैसे कमाल खान के नाम लिख गया। अब वह अपना गट्ठर नहीं खोलता, बस चबूतरे पर बैठ जाता। तमन्ना उससे बात कर लेती तो उसके पैरों की दिन भर की थकान जैसे कह उठती 'दो घड़ी सुस्ता लो कमाल, ऐसा ठिकाना भी कहाँ मिलेगा जहाँ न ले कोई सौदा, कम से कम इंसानियत से तो पेश आये।' तमन्ना उसे अपनी कोई सगी लगने लगी, वह सोचता जैसे वह अपने बीवी-बच्चों से दूर है वैसे ही तमन्ना अपने शौहर से दूर है। फर्क यही है कि वह दो महीने बाद घर चला जाता है, तमन्ना साल भर इंतज़ार में बिता देती है।

उसका जाना और आना दोनों ही तमन्ना के लिए मौसम का पैगाम बन गया। कमाल कहता, 'कैसी मुश्किल है मैडम। घर में इज़्ज़त है पर कमाई नहीं। यहाँ कमाई है पर इज़्ज़त नहीं। कभी भी पुलिस वाले पकड़ लेते हैं। तब दो-एक शॉल मुफ़्त निकल जाते हैं। हर सीज़न में तीन चार शॉल चोरी चले जाते हैं। मैडम आप तो माल देख कर भी नहीं ललचातीं वरना कई बार अच्छे घरों की मालकिनों की भी नीयत पलट जाती है। ट्राइ करने के बहाने शॉल ओढ़ कर देखती हैं और अगर मैं खबरदार न रहूँ तो एकाध पार कर डालती हैं। हर साल सोचता हूँ कोई और धन्धा करूँ पर मेरे पास कोई हुनर भी नहीं। अब्बा का कहा मान कर पढ़-लिख लिया होता

तो कहीं नौकरी करता। बीवी साल के तीन सौ पैंसठ दिन पहलू में रहती।'

तमन्ना के मुँह से आह निकल जाती। यही तो उसकी दशा थी। उसका शौहर तो शिक्षित था फिर भी दूर था। ऐसा लगता उसे लौटने की कोई जल्दी भी नहीं थी। वह जुम्मे की जुम्मे फोन करता, घर-गृहस्थी का हाल चाल पूछता, बच्चों से बातें करता, फोन रखने से पहले वह तीन फ्लाइंग किस भेजता, तीनों के लिए। मोबाइल से किस की ध्वनि इतनी फट कर, फूट कर निकलती कि तमन्ना फोन कान से दूर रख कर बच्चों को पकड़ा देती। वह हिसाब लगाती कि शादी के आठ साल में वह आठ महीने भी शौहर के साथ नहीं रही। कभी सिलाई फैक्टरी में काम ज़्यादा होता तो वसीम की छुट्टी मारी जाती। ऐसे में वह बीवी से कहता, 'तसल्ली रखो जानेमन अगली बार आऊँगा तो सारी कसर पूरी कर दूँगा। फिर साल भर बस कराहती रहना।'

तमन्ना को खीझ उठती। वसीम के ज़ेहन में मियाँ-बीवी का बस एक ही रिश्ता दर्ज होता था जबकि जीवन से जुड़े न जाने कितने पहलू थे जहाँ मर्द की ज़रूरत थी।

नूर और रूही कॉलोनी की सड़कों पर, अपनी मिनी साइकिलों पर दौड़ लगाने लगी थीं। वे दिलीप स्टोर जाकर चॉकलेट भी खरीद लेतीं। कभी वे अपनी बार्बी डॉल के कपड़े बदलतीं, कभी कार्टून नेटवर्क चैनल लगा कर टीवी के आगे जम जातीं।

कमाल खान को वे खान चच्चू कहने लगी थीं। वे कमाल खान को अन्दर के कमरे से, चाय का ग्लास हाथ में लिये, निकलते देखतीं। घर में शॉल का गट्ठर एक तरफ़ रखा रहता, कमाल घण्टों वहाँ रहता। बल्कि कभी-कभी वह गट्ठर छोड़ कर खाली हाथ अपने डेरे पर लौट जाता, कि अगले दिन यह बोझ ढोना नहीं पड़ेगा, वह यहीं से उठा कर गोविन्दपुर का चक्कर काट लेगा।

इस बीच इलाहाबाद के ड्राइवर इमरान ने तमन्ना को कार चलानी सिखा दी। सामने इंजीनियरिंग कॉलेज की सड़कों पर उसने तमन्ना को अभ्यास करवा दिया। तमन्ना कार चला कर नूर और रूही को स्कूल ले जाती। एक दिन स्कूल के मैनेजर निगम साहब ने तमन्ना को प्रस्ताव दिया कि वह नर्सरी क्लास को पढ़ाने का काम कर ले। तमन्ना बड़ी उत्तेजित हुई कि उसे सर्विस मिल रही है। लड़कियों का स्कूल था और उसके अपने बच्चे भी वहीं पढ़ रहे थे। उसने हाँ कर दी।

वसीम को उसने यह नहीं बताया लेकिन अपने माँ-बाप के जरिये यह खबर उस तक पहुँच ज़रूर गयी।

उसने बिगड़ कर फोन किया, 'यह मैं क्या सुन रहा हूँ बेगम। आप चार पैसों के लिए टीचरी करने लगीं। अगर खर्चा ज़्यादा था तो मुझे बतातीं, मैं और पैसे भेज देता।'

तमन्ना ने कहा, 'पैसों का सवाल नहीं है, यह भी सोचो मैं टाइमपास कैसे करूँ।'

'पाँच वक्त नमाज़ पढ़ा करो, अपनी बच्चियों पर ध्यान दो, नेक औरतों के यही दो काम होते हैं।'

'मैं आपको नहीं गिनाती कि नेक मर्दों के कौन-से काम होते हैं?'

'तुम तो ज़्यादा बकबक करने लगी हो।' कह कर वसीम ने फोन बन्द कर दिया।

इस बार वसीम छुट्टियों में घर आया तो और भी संजीदा सूरत बना कर। उसने देखा तमन्ना सुबह शकीला की मदद से पूरे दिन का खाना-नाश्ता बना कर मेज़ पर लगा देती। वॉशिंग मशीन चला देती। कपड़े फैलाने का काम शकीला के जिम्मे था। शाम को वह पहले घर का काम समेटती। उसके बाद नूर और रूही के बस्ते लेकर उनको होमवर्क करवाती। इसके बाद ही खबरें सुनना, खाना खाना और टहलने जैसे काम होते। एक रात टहलते हुए वसीम ने

कहा, 'लगता है मेरे बिना भी तुम्हारा काम मज़े में चल रहा है।'

'आपका भी तो चल रहा है, तभी तो लौटने की तबियत नहीं करती आपकी?'

'यह बराबरी का चस्का कुछ ज़्यादा नहीं पड़ गया तुम्हें?'

तमन्ना झगड़ा नहीं चाहती थी। वह चाहती थी शौहर की छुट्टियाँ सुख-चैन से बीत जायँ।

बड़े अब्बा ने उसकी नौकरी पर टिप्पणी की 'जितनी तनख्वाह मैं एक ड्राइवर को देता हूँ उतना भी नहीं पातीं तुम, फिर काम करने से फायदा?'

तमन्ना बोली 'अब्बूजी आपकी बात दुरुस्त है लेकिन मुझे तो स्कूल वाले कुछ भी न दें, तब भी मैं काम करूँगी।'

अम्मी बोलीं 'करने दीजिये न। सारा दिन घर में पड़े-पड़े जी घबरा जाता है।'

हफ्ते के छह दिन तो नहीं पर सातवें दिन इतवार को फेरीवालों की भी आवाजाही देख कर वसीम टोक बैठा, 'ये चोर-उचक्के यहाँ क्या करने आते हैं?'

तमन्ना को बुरा लगा। किसी को बेवजह चोर-उचक्का कहना उसे गवारा न हुआ। उसने गर्दन को झटका दे कर कहा, 'माल बेचने आते हैं। जहाँ जेब में दाम होगा वहीं तो जायेंगे। तुम अपनी छुट्टी मनाने आये हो, बेशक छुट्टी मनाओ और जाओ। यह घर मुझ पर छोड़ो यहाँ कौन आता है, कौन जाता है, मुझे सब समझ है।'

'बेगम घर यह मेरा है, मेरी मर्ज़ी के बगैर यहाँ चींटा भी नहीं घुस सकता।' वसीम ने एतराज़ किया।

तमन्ना को हँसी आ गयी, 'घर उसी का होता है जी, जो उसमें रहता है। न रहो तो घर में चींटे तो क्या दीमक भी लग जाती है। मैंने और बच्चों ने बसा रखा है यह घर। फिर तो हमारा हुआ न!'

शक

वे सब यकायक खाली होती जा रही थीं। अभी कुछ साल पहले तक, जब उनके बच्चे छोटे थे, वे दौड़-घूप में लगी रहती थीं—झबले पर लेस टाँकने से लेकर बच्चे का हाथ पकड़ कर ए-बी-सी सिखाने तक। अब बच्चे इस लायक हो गये थे कि खुद ही तैयार हो जायें, खुद ही बस पकड़ लें और खुद ही लौट आयें। कॉलोनी में सभी के बच्चे स्कूल जाने लगे थे, प्राइमरी की सीढ़ियाँ पार कर वे हाई स्कूल की विभिन्न स्टेजों पर थे। सुबह-सुबह बच्चे यूनिफ़ॉर्म पहन, भारी-भरकम बस्ते पीठ पर लादे निकल जाते और शाम सुस्त चाल से और भी लदे-फँदे लौटते। होम-वर्क का बोझ। पब्लिक स्कूलों का होमवर्क, जो बच्चों की शक्ति, क्षमता और धैर्य तीनों की अवहेलना कर उनका शरीर मेज़ पर ऐसा झुकाता कि रात दस बजे तक उठ पाता। एक ही कॉलोनी में रहने के कारण बच्चों में प्रतियोगिता की भावना बनी रहती। वैसे तो तय था कि सब बच्चे शाम छह से सात सामने अहाते में खेला करेंगे पर दीपक गुप्ता और संजय रस्तोगी कई बार बहाना कर घर खिसक जाते।

बच्चों की माएँ कुछ समय तक काफ़ी परेशान रहीं। बच्चों पर जुल्म हो रहा है। चारु ने हफ़्ते भर से ठीक से खाना नहीं खाया, शलभ तो रोज़ पढ़ाई के बाद इतना थक जाता है कि मेज़ पर ही सिर रख कर सो जाता है। इधर वर्षों से न जाने क्या हुआ है बच्चों को सॉफ्टी के सिवा कुछ पसन्द ही नहीं आता। आलू-मटर बिल्कुल नहीं; गोभी-आलू हिश्; बैंगन-आलू बाप रे! जिस दिन कस्टर्ड बना

दो उस दिन कस्टर्ड बेकार जाता है, जिस दिन अण्डा तल दो उस दिन अण्डा तबाह। अगली सुबह नौकर को नाश्ते में ये व्यंजन चटाओ और अपना खून जलाओ। मिसेज़ रस्तोगी, मिसेज सरकार वगैरह ने तो इन बातों पर जी जलाना बन्द कर दिया। पर काफी महिलायें तो ऐसी लापरवाह नहीं हो सकतीं।

बस इन्हीं चिन्ताओं में कैलेन्डर पर कैलेन्डर दीवारों से उतरते जा रहे थे। इस बीच कॉलोनी के पुरुषों में से कुछेक के प्रमोशन के अलावा कोई उल्लेखनीय बात नहीं हुई। जिनका प्रमोशन हुआ उन्होंने मिठाई मँगा कर पड़ोसियों को खिला दीं; जिनका प्रमोशन नहीं हुआ, उन्होंने कुढ़ते-कुढ़ते खा लीं। ज़िन्दगी कुएँ की रस्सी-सी घिर्री पर से सरकती जा रही थी। पुरुष अमूमन समय पर घर से निकलते, समय पर घुसते। अगर वे ओवरटाइम करते तो बाकायदा बीवियों से पूछ कर। पर ओवरटाइम के मौके बहुत कम आते। अक्सर छह बजे शाम तक सभी अपने-अपने बरामदे में चाय का प्याला हाथ में लेकर पत्नी के साथ प्रेमपूर्वक बोर होते देखे जा सकते थे।

अस्थाना साहब रिटायर होकर ग्वालियर चले गये और उनका मकान ई-सत्तर खाली हो गया। वे विधुर थे, अपना दो-तिहाई जीवन दफ्तर में व एक-तिहाई क्लब में काटा था। उनका कॉलोनी में रहना-न रहना बराबर था। उनके चले जाने से किसी को कुछ नहीं खटका। बल्कि अगली ही सुबह जब ट्रक से नये किरायेदार का सामान उतरना शुरू हुआ तो सबको अच्छा लगा। अपनी-अपनी खिड़की से स्त्रियों ने सामान का मुआयना किया। नहीं, फटीचर लोग नहीं हैं, सलीकेदार लगते हैं। असबाब में एक भी रंग उड़ा, पुराना या टूटा ट्रंक नहीं उतरा, न अंगीठी, न बान की चारपाई। सामान है थोड़ा लेकिन बढ़िया। सामान उतरवाने का काम घर के मालिक नहीं कर रहे थे। मामूली पैन्ट-कमीज़ पहने एक सत्रह-अठारह साल का लड़का यह काम कर रहा था। वह न बेटा नज़र आ रहा

था न नौकर।

कॉलोनी ने देखा, लड़के में गज़ब की फुर्ती थी। उसने बिना किसी की मदद लिये सामान टिका लिया, मकान झाड़-पोंछ दिया, यहाँ तक कि दरवाज़े पर नेमप्लेट भी लगा दी—आर.सी. पाण्डे। कॉलोनी की जिज्ञासा का थोड़ा शमन हुआ। एकाध ने अपने नौकरों को ज़रूरी पूछताछ के लिए भेजा, जो फ़ौरन वापस लौट आये कि वह तो बात ही नहीं करता!

दरअसल कॉलोनी में नौकरों का भी एक अलग तबका था। हरेक के घर में तो नहीं, फिर भी बीस-पच्चीस घरों में छोटे, बड़े, मँझले साइज़ के नौकर थे। इनमें अद्‌भुत एकता और संगठनवृत्ति थी। दोपहर को ये पुलिया के नीचे सूखे नाले पर बीड़ी फूँकते गुफ्तगू में मशगूल पाये जा सकते थे। अगर किसी घर की मालकिन जैसे गुप्तानी या अग्रवालनी दोपहर दो बजे के बाद नौकर को काम बताकर उसका अवकाश ख़त्म करने की कोशिश करतीं तो नौकर-समुदाय की इस दोपहर-कालीन बैठक में उसे भारी भर्त्सना का शिकार होना पड़ता, उसका बाकायदा चरित्र-हनन किया जाता। नौकरों की संख्या बढ़ती जाने के कारण उनकी मण्डली एक यूनियन का रूप ले रही थी। पहले-पहल इसका अहसास मालिकों को तब हुआ जब नौकरों को हफ़्तावार साबुन की बट्टी देने के मसले को लेकर इस मण्डली ने आवाज़ उठायी। फिर तो काफ़ी बातें तय होती गयीं; कि नौकर दोपहर दो से चार तक आराम करेंगे, रात ग्यारह बजे के बाद नौकरों से काम नहीं लिया जा सकता, कि नौकरों को महीने में एक दिन सिनेमा जाने दिया जाय, कि नौकर बच्चों का गू-मूत साफ़ नहीं करेंगे, कि वे पैर दबाने या मालिश करने का कार्य नहीं करेंगे...। वैसे ये सभी नियम आम नियमों की तरह कठोर भी थे और लचीले भी। जब किसी छोकरे को नौकरी छोड़नी होती तो वह सख़्ती से इन नियमों का पालन कर किसी भी वक्त नौकरी छोड़ देता। वैसे समझदार मालकिनें

जैसे मिसेज़ डिसिल्वा, मिसेज़ चोपड़ा अपनी खुशमिज़ाजी और दरियादिली के कारण अपने-अपने नौकर से सभी तरह के काम ले लेतीं।

पाण्डे दम्पति चुपचाप कॉलोनी में स्थापित हो गये। पाण्डे साहब एक्साइज़ विभाग में सुपरिन्टेन्डेन्ट थे। विभाग की जीप हर वक्त उनके दरवाज़े पर खड़ी रहती। शक्ल से वे सहृदय और स्नेही लगते थे लेकिन उनका अधिकांश समय अपने पाइप की देखभाल में बीतता। पाइप साफ़ करने के विभिन्न उपकरण, तम्बाकू के पैकेट और माचिस से उनकी जेब उटाउट्ट भरी रहती। उनके दाँत निकोटिन से पीले पड़ गये थे फिर भी उनकी हँसी आकर्षक थी। मिसेज़ पाण्डे ने हाल ही में रेडियो स्टेशन में अनाउन्सर की नौकरी शुरू की थी। महीनों कॉलोनी को पता ही नहीं लगा कि उनके कोई बच्चा भी है। उनके बारे में कॉलोनी को बहुत कम जानकारी थी। वे दोनों अक्सर व्यस्त और बाहर रहते, जीप आती रहती, जाती रहती, नौकर सुबह-शाम टोकरी भर-भर कर सामान लाता और अगली सुबह खाली टोकरी ले फिर नज़र आता। शायद यह इस परिवार का स्वभाव था कि जमने के दौरान एक भी बार पाण्डे दम्पति ने पड़ोस से कोई मदद नहीं माँगी, यहाँ तक कि कील-हथौड़ी भी नहीं। उनका सब काम कुछ ऐसे हो गया कि बगल में रहते जोशी-परिवार को एक भी बार खट-खट खुटुर-खुटुर सुनायी नहीं दी। बरसों से अन्योन्याश्रित जीवन बिताने वाले कॉलोनी के लोग इस बात से आहत हुए और अपमानित भी। ऐसा भी क्या! आखिर इंसान को इंसान से काम पड़ता ही है। यह क्या कि सारा दिन बाहर रहे और शाम को घर के अन्दर घुस कर पट बन्द कर लिये। अभी तो वे ठीक से नवागन्तुकों को देख भी न पाये थे। सोचा तो यह था कि पहले रस्तोगी उन्हें चाय पर बुलायेंगे, फिर गुप्ता लोग रविवार को खाने पर। आने-जाने का सिलसिला इसी तरह शुरू हो सकता है। इस छोटे से शहर में मिलने-जुलने के सिवा और किया

भी क्या जा सकता है, टैस्ट मैच यहाँ नहीं होता, चौपाटी यहाँ नहीं होती, रैली यहाँ नहीं होती। कस्बे और देहात के घालमेल से बना यह शहर वाकई एक कहर है। कहना मुश्किल है कि यदि यहाँ हाईकोर्ट, ए.जी. ऑफ़िस और विश्वविद्यालय न होते तो इसकी क्या दशा होती। फिर शायद यहाँ मेल तो मेल, पैसेन्जर गाड़ी भी रुकने में ऐतराज़ करती। राजधानी में घटित चटपटे प्रसंग अखबारों में पढ़ यहाँ के लोग दाँतों तले उँगली दबा लेते या शाम को मूढ़ों पर बैठ आपस में बातचीत करते।

"बताओ अब दिल्ली की लड़कियाँ बूढ़ों के पीछे पड़ गयीं। कहती हैं हमें बूढ़े छेड़ते हैं।"

और गंजे...।

इसका मुझे यकीन नहीं, "भटनागर साहब ने अपनी चाँद खुजाते हुए विरोध किया, गंजा आदमी और कुछ भी हो बदमाश नहीं होता। उसमें इतना आत्मविश्वास आ ही नहीं सकता कि बीवी के अलावा और किसी के पास भी फटके।"

वाह भटनागर साहब, अपनी भूल गये जब कॉलेज में आपने मिस मेयो को पोर्च में गुलाब पेश किया था और उसने लेने से इनकार कर दिया था। वह कोशिश नहीं तो और क्या थी।

भटनागर साहब थोड़े झेंप गये। अठारह साल की उम्र में ही उनके बाल झड़ने शुरू हो गये थे और पच्चीस के होते-होते तक उनके जीवन से कंघे का अस्तित्व समाप्त हो गया। उनका दृढ़ विश्वास था कि अगर बालों ने उनका साथ दिया होता तो शर्मा की तरह उन्होंने भी प्रेम विवाह किया होता। शर्मा उनके पुराने दोस्त थे। और दोनों पढ़ायी पूरी करके आगे-पीछे इसी विश्वविद्यालय में पहुँच गये थे। बोले, 'डिटेल्ज़ छोड़िए, मैं तो एक जनरल बात कर रहा हूँ।

रस्तोगी बोले, जनरल बात तो यह है कि आजकल की लड़कियाँ भी कुछ ज़्यादा मुँहफट हो गयी हैं। कब टोपी उतार कर हाथ पर

धर दें, कहा नहीं जा सकता।

'और वह देखा, हाथ में चकला-बेलन लेकर बोटक्लब मैदान में प्रदर्शन।'

बड़ी दबंग औरतें हैं भई। बड़े और छोटे शहरों में यही तो फ़र्क़ होता है। वहाँ महँगाई होती है तो औरतें मुक्का तान कर चरण सिंह के दफ़्तर पहुँच जाती हैं। यहाँ महँगाई का सारा मातम ये हमारे सिर पर मनाती हैं—सिगरेट छोड़ दो, चाय ज़्यादा न पिया करो, मीठी चीज़ों की फ़रमाइश बिल्कुल छोड़ दो।

जोशी बोला, कई बार तो मैं सोचता हूँ, मैं शौहर हूँ या नौकर। दफ़्तर से आते ही श्रीमती जी मुझे बाज़ार भेज देती हैं। एक प्याला ठण्डी चाय और दो टेढ़ी मठरियों के नाश्ते के बाद बॉबी का होमवर्क करवाती हैं। सारी शाम लदर-फदर जाने क्या-क्या काम करती फिरती हैं और जब बिस्तर पर आती हैं तो मुर्दे की तरह लुंज पड़ जाती हैं।

हटाओ यार, तुम्हें उनका कोई मददगार रखना चाहिए। यह भी एक किस्म की ज़्यादती है कि भाभी भी सारा दिन जुती रहें।

जोशी जी की कंजूसी पूरी बस्ती में कुख्यात थी। यों तो उन्होंने घर में वे सब साधन जुटा लिये थे जो कॉलोनी के हर आदमी ने मर-गिर कर जुटाए हुए थे, फ्रिज, कूलर और रिकॉर्डप्लेयर। पर घर के काम के लिए उन्होंने महज़ एक महरी रखी हुई थी जो बर्तन रगड़ने और तनखा को लेकर हर माह हुज्जत करने के अलावा और कुछ नहीं करती थी। एक बार मिसेज़ जोशी के बहुत आग्रह पर हिम्मत कर जोशी जी ने एक लड़का घर में बतौर मददगार रख लिया लेकिन वह तीसरे ही दिन दूसरे घर में जगह ढूँढ कर चला गया और उसने यह राज़ भी खोल दिया कि जोशीआइन उसे पूरा खाना नहीं देती थीं और उन्होंने अचार का मर्तबान उससे छुपा कर कपड़ों की अलमारी में रख दिया था जिसके फलस्वरूप तेल फैल कर कपड़े खराब हो गये; कि उनका बच्चा रोज़ टोस्ट पर पीले

मक्खन के लिए ज़िद करता है लेकिन जोशीआइन उसे मलाई चुपड़ कर टोस्ट दे देती हैं।

जोशी जी की इसीलिए अग्रवाल साहब से तनातनी रही थी क्योंकि उनका नौकर आजकल अग्रवाल साहब के यहाँ काम कर रहा था और वहीं से बातें प्रसारित हुई थीं।

यों तो कॉलोनी में आमोद-प्रमोद का मुख्य साधन बतरस और कनरस था फिर भी कुछेक जोशीले लोगों के कारण वहाँ एक मनोरंजन क्लब की भी स्थापना हो गयी थी। यह क्लब होली के मौके पर होली मिलन का आयोजन करता और साल में दो बार कॉलोनी के सामने वाले मैदान में डच-डिनर। इसके अन्तर्गत हरेक परिवार एक-एक विशेष व्यंजन बना कर लाता और सब मिल-जुल कर बुद्ध पूर्णिमा और रक्षाबन्धन की शाम खानपान करते। ये दोनों ही दिन बड़े चाव से मनाये जाते। सभी स्त्रियाँ एक से एक अच्छा व्यंजन बनाने में होड़ बदतीं। स्त्रियाँ रक्षाबन्धन पर वैसे ही प्रसन्न रहतीं क्योंकि उस दिन उनकी जेब गर्म रहती। सर्दियों में एक बार कॉलोनी के लोग पिकनिक पर जाते। क्लब के पदाधिकारियों द्वारा हर साल बड़े मनोयोग से जाने लायक जगहों का अध्ययन किया जाता, फिर सर्व-सम्मति से जगह का चयन होता। अक्सर माह के दूसरे शनिवार अथवा किसी गज़टेड छुट्टी पर यह कार्यक्रम रखा जाता। चन्दा जमा कर कॉन्ट्रैक्ट पर एक बस कर ली जाती और हँसते-बोलते-गाते-बजाते सब घूमने निकल पड़ते। अन्य बस्तियों के लोग इस कॉलोनी की ज़िन्दादिली और मस्ती देखते और अपने मनहूस पड़ोसियों को कोसते। कॉलोनी में एक पत्रिका क्लब भी था। महज दो रुपये महीने प्रति घर से वसूल कर यह क्लब हिन्दी व अंग्रेजी की अधिकांश सचित्र पत्रिकाएँ उपलब्ध कराता।

इन मायनों में यह एक आदर्श बस्ती थी। इसमें कुल दो सम्प्रदाय थे—पुरुष वर्ग भाई-सम्प्रदाय व महिला वर्ग भाभी-सम्प्रदाय।

शिष्ट-शालीन वातावरण था। जिन परिवारों में जवान लड़के-लड़कियाँ थीं उन्होंने भी आज तक शिकायत का मौंका नहीं दिया था। हँसी-मज़ाक का स्तर भी मर्यादापूर्ण था। ज़्यादा से ज़्यादा गुप्ता जी, श्रीवास्तव जी से इतना भर कह देते, 'आप तो भाभी जी से बेहद डरते हैं श्रीवास्तव जी', श्रीवास्तव जी बात की ताईद करते हुए पत्नी की ओर देखते जो फौरन लाज से लाल हो जातीं। उनकी आँखों में चमक आ जाती। शादी के पन्द्रह साल बाद डर प्रेम का पर्याय ही था। महिलाओं में छोटे-मोटे मनमुटाव कभी-कभी होते पर जल्द दूर हो जाते। जिन परिवारों में घनिष्टता थी उनमें बड़े व्यापक स्तर पर आपसदारी थी जिसके अन्तर्गत दही के जामन से लेकर टुल्लू पम्प और सिन्नी पंखे तक का आदान-प्रदान चलता।

मिसेज पाण्डे के आ जाने से कुछेक परिवर्तन सामने आये। सबसे पहली बात वह इस बस्ती की सबसे व्यस्त महिला थीं। महीनों तो कॉलोनी को उनका ड्यूटी-चार्ट ही समझ नहीं आया। अगर उनके घर सुबह जाओ तो पता चलता वे सुबह ड्यूटी पर हैं, शाम जाओ तो पता चलता, शाम ड्यूटी पर हैं। अक्सर देर रात में एम्बैसडर गाड़ी के रुकने की आवाज़ आती, दरवाज़ा खुलता, खट से बन्द होता। मिसेज पाण्डे रात दस पचास पर रेडियो पर—'हमारी तीसरी और अन्तिम सभा समाप्त होती है, अब हमें आज्ञा दीजिए, जयहिन्द।' कहने के पश्चात् रेडियो स्टेशन की कार से घर आतीं। बस्ती में कई जोड़े क़ान, कार की आवाज़ का इन्तज़ार करते रहते। आवाज़ के साथ ही कुछ आँखें खिड़की की ओर उठ जातीं, फिर निश्चितन्तापूर्वक नींद उन्हें घेर लेती। यह उनकी दिनचर्या का ही हिस्सा बनता जा रहा था। उनकी पत्नियाँ दिन में मुँह बिचका कर कहतीं, हुँह, जाने कहाँ से लौटती है, इतनी रात में कौन-सा दफ़्तर छूटता है?

अब तक बस्ती में रेडियो एक उपेक्षित उपकरण था, जो केवल समाचार सुनने के काम आता था। अब कई घरों में रेडियो नियमित

रूप से सुना जाने लगा। श्रोताओं में महिलाओं की अपेक्षा पुरुष ही थे। जो आवाज़ के पारखी थे वे मिसेज़ पाण्डे की माखन-मिश्री-सी वाणी पहचान लेते पर ज़्यादातर उन्हें सभी एनाउन्सर्ज मिसेज़ पाण्डे लगने लगी थीं। मुख्य कार्यक्रम इतने ध्यान से नहीं सुना जाता था, जितने ध्यान से एनाउन्समेंट।

क्लब के पदाधिकारियों को आशंका थी कि अपनी अत्यधिक व्यस्तता के कारण मिसेज़ पाण्डे शायद बुद्ध पूर्णिमा को डच-डिनर में भाग न लें। भाटिया बोला, अगर ऐसा होगा तो डच-डिनर कैंसिल कर देंगे।

कोषाध्यक्ष अग्रवाल को यह बात बहुत बुरी लगी, क्यों, डिनर क्यों कैंसिल करेंगे, छह साल से परम्परा चली आ रही है, एक मेम्बर के लिए उसे खत्म कर देंगे।

रस्तोगी बोला, चल कर मिसेज़ पाण्डे से पूछ लेते हैं, उनकी सहूलियत भी देख लेंगे।

लेकिन अग्रवाल अडिग था, नहीं, डिनर हमेशा बुद्ध-पूर्णिमा को होता है, बुद्ध-पूर्णिमा को ही होगा। अग्रवाल को इस प्रकार से अड़ने से खुशी हो रही थी। उसे लग रहा था क्लब के सभी पदाधिकारी लम्पट हैं, एक वही चरित्रवान् है।

मिसेज़ पाण्डे घर पर मिल गयीं। उन्होंने सबका शालीनतापूर्वक स्वागत किया और जब भाटिया की बात काट कर निहायत ठण्डे लहजे में अग्रवाल ने, आने का उद्देश्य क्लब की परम्परा और अपना अडिग निश्चय मिसेज़ पाण्डे को बताया तो न जाने कैसे कहाँ से उन्होंने तत्काल आरेन्ज स्क्वैश प्रस्तुत कर दिया। निहायत मीठी आवाज़ में उन्होंने अपनी सहमति प्रकट की।

उस दिन महिलाएँ सुबह से व्यस्त रहीं। मिसेज़ अग्रवाल को अपने बनाये दही-बड़ों पर हमेशा से नाज़ था। उन्होंने दही-बड़े बनाये। मिसेज़ रस्तोगी गुलाबजामुन बनाने में पटु थीं। उनकी विशिष्टता यह थी कि उनकी प्रत्येक गुलाबजामुन के बीच में से

नये प्रकार का मेवा निकलता था। दस-बारह गुलाबजामुन तो रस्तोगी साहब ने बनते-बनते ही खा डाले। फिर मिसेज़ रस्तोगी ने उन्हें बरज दिया। कम पड़ जायेंगे। मिसेज़ गुप्ता ने वैजिटैबिल कटलेट बनाया, मिसेज वर्मा ने पिट्ठी वाली पूरियाँ। मिसेज़ भाटिया शादी के निष्फल चौदह साल बाद यकायक गर्भवती हुई थीं, आजकल उन्हें हर चीज़ से उबकाई आती थी। वे बहुत देर निढाल पड़ी रहीं। वे कुछ तय नहीं कर पा रही थीं कि क्या बनाया जाय। अन्त में उन्होंने सिर्फ सलाद का जिम्मा ले लिया। सभी महिलाओं को भीषण उत्सुकता थी कि मिसेज़ पाण्डे क्या डिश बनायेंगी लेकिन मिसेज़ श्रीवास्तव के यह कहने पर कि वे क्या बनायेंगी उन्हें तो सजने-सँवरने से ही फुरसत नहीं रहती वे सब निश्चिन्त हो गयीं। स्वादिष्ट भोजन बनाने के लिए जिस सूझबूझ, संयम, स्वच्छता, तसल्ली और त्याग की ज़रूरत होती है वह इन चटक-मटक आधुनिकाओं में कहाँ।

"मिसेज़ पाण्डे के पास तो तगड़ा बहाना है", मिसेज श्रीवास्तव में कहा, आखिरी क्षण पर भागी-भागी आयेंगी और कह देंगी क्या करूँ सीधे ड्यूटी से आ रही हूँ।

वह शाम कॉलोनी की समस्त स्त्रियों के लिए मोहभंग की शाम थी। परम्परा के अनुसार उस भोज में सबने एक-एक डिश तैयार की तो मिसेज़ पाण्डे ने दो। एक तो महज चावल थे, दूसरी पालक की सब्ज़ी थी जिस पर साबुत मिर्चों से मीनारें खड़ी की गयी थीं। दोनों चीज़ों की विशेषता यह थी पुरुष वर्ग ने दोनों ही बेहद चाव व उत्साह से खायी। चावलों पर शाहजीरे का तड़का था। अग्रवाल साहब अपनी खाली प्लेट लिये सीधे उस तरफ़ पहुँचे जहाँ ये दोनों व्यंजन रखे थे और पास ही मिसेज़ पाण्डे खड़ी सलाद से लेकर गाजर की कतरनें कुतर रही थीं। सफ़ेद साड़ी, सफ़ेद ब्लाऊज़, सफेद बिन्दी में गोरी, उजली सरिता पाण्डे पूरे चाँद के साये में हँसिनी-सी लग रही थीं। न उन्होंने अन्य औरतों की तरह जरी की

साड़ी पहनी न उन्होंने मेकअप किया, न उन्होंने गहने पहने थे। उन्हें देख कर अग्रवाल साहब सोच रहे थे या तो यह सीधी स्नानघर से यहाँ आ गयी हैं या आसमान से। उन्होंने खाते-खाते मिसेज़ पाण्डे से कहा, "इतनी लजीज़ तरकारी मैंने आज तक नहीं खायी, कैसे बनाती हैं आप?"

दूर औरतों में खड़ी मिसेज़ अग्रवाल का कलेजा कोयला हुए जा रहा था। उनका मन हो रहा था, दोपहर मर-खट कर बनाये अपने दही-बड़ों का डोंगा अग्रवाल साहब के सिर पर फोड़ दें। घर पर इसी पालक के कारण कई बार युद्ध हो चुका है। पालक दाल में भी डाल दो तो अग्रवाल साहब थाली छोड़ कर उठ जाते हैं और आज उँगली चाट-चाट कर नदीदों की तरह खा रहे हैं।

मिसेज़ पाण्डे हँसती-हँसती, बिजलियाँ गिराती कह रही थीं, "आलोक जी, पहाड़ में इसे कापा कहते हैं। ताज़े पालक के पत्तों को हाथ से दो टुकड़ों में तोड़ते हैं, न न चाकू नहीं लगाते, स्वाद बिगड़ जाता है। फिर साबुत लाल मिर्चों के साथ कड़ाही में धीमी आँच पर पकाते हैं, फिर...अग्रवाल साहब मन्त्र मुग्ध सुन रहे थे। बोलने का ढंग कितना आकर्षक है। तभी न रेडियो में काम करती हैं। दिमाग़ को कैसा सुकून मिल रहा है, जैसे कोई पेनबाम मल रहा हो माथे पर। शीला चाकू से काट कर सारी सब्ज़ियों का स्वाद गोबर कर देती है। इतनी छोटी-सी बात वह नहीं जानती कि काटने से सब्जियों का स्वाद नष्ट हो जाता है। और चाकू भी कैसा भद्दा-मैला, लोहे का टुकड़ा। स्टील का चाकू उसने छुपा कर रखा हुआ है, वह मेहमानों के आगे सेब काटने के लिए है। अग्रवाल साहब का मन हो रहा था मिसेज़ पाण्डे इसी तरह बोलती रहें, बोलती रहें, उनके कानों में यह जलतरंग बजती रहे, बजती रहें, धीरे-धीरे इस मैदान से सब खलनायिकाएँ अपने-अपने डोंगे समेट कर रवाना हो जायें, सिर्फ़ वे रह जायें और मिसेज़ पाण्डे। काश ऐसा हो जाये, वे आजन्म पालक बनाने की विधि सुनते रहेंगे।

पालक खाते रहेंगे, और तो और वे अपनी क्यारी में सिर्फ़ पालक की खेती शुरू कर डालेंगे। दरअसल वे इतने शुष्क और सख्त थे नहीं जितने ऊपर से लगते थे। इस वक्त उनके मन में आकांक्षाओं के झरने फूट रहे थे। लेकिन इसी बीच मेहता साहब पास आकर खड़े हो गये और बोले, "सरिता जी, यह नायाब व्यंजन आपके यहाँ पूरी के साथ खाते हैं या पराठे के?"

चावल के, मिसेज़ पाण्डे ने कहा और अपनी चमकीली आँखों व दमकीले दाँतों वाली मुक्त हँसी हँस दी।

जल्द ही ऐसा हुआ कि सभी पुरुष पालक के पागलपन में मेज़ के उस कोने तक खिंच आये जहाँ मिसेज़ पाण्डे खड़ी थीं। भाटिया साहब को इतनी भीड़ अच्छी नहीं लगी। वे लॉन की दूसरी तरफ़ से कुर्सी उठा लाये, 'आप बैठिये सरिता जी थक गई होंगी। औरतों के लिए डिनर ज़हर बन गया। सभी स्त्रियों की प्लेटें तली-भुनी चीज़ों से उटाउट्ट भरी थीं, उनमें पालक के कापा और चावल के लिए कोई स्थान नहीं था।

उस रात कई घरों में कलह हुई। कई महिलाओं का रक्तचाप मन्द और कई का तीव्र हो गया। जाने कब की भूली-बिसरी बीमारियाँ फिर सक्रिय हो उठीं। मिसेज़ गुप्ता घर जाकर बिस्तर पर औंधी पड़ गयीं।

गुप्ता जी ने मस्ती में पूछा—क्या बात है जी, अभी से सो गयीं!

मिसेज़ गुप्ता बोलीं, "पेट बुरी तरह अफ़र रहा है।"

तली-भुनी चीज़ें खा ली होंगी। तभी तो मैं कहता हूँ तुम्हें ज़्यादा से ज़्यादा हरी सब्जियाँ खानी चाहिए। पर तुम्हें कड़ाही चढ़ाये बिना चैन कहाँ?

मिसेज़ गुप्ता ने आग्नेय दृष्टि से पति को देखा। गुप्ता जी प्रभु जी मेरे अवगुण चित न धरो गुनगुनाते हुए हाजमोला की शीशी अलमारी में ढूँढने लगे।

मिसेज़ गुप्ता का 'मन-वृन्दावन' 'मन-पानीपत' हो आया। कड़ुवाहट और खट्टी डकारें अलग तंग किये थीं।

भाटिया साहब पिछले सोलह साल से ए.जी. ऑफिस में काम कर रहे थे। कॉलेज के दिनों में कभी कविता करने का शौक था जो दफ़्तर में बैठे-बैठे ठण्डा हो चुका था। उन्हें क्या पता था जीवन की सान्ध्य बेला में कविता एक बार फिर उन्हें दबोच लेगी। वे पत्नी से बोले, तुम आराम करो, मैं एक नायाब कविता लिखने जा रहा हूँ, मेरे ऊपर प्रेरणा के बादल मँडरा रहे हैं।

उनकी अधेड़ गर्भवती पत्नी ने गिनगिनाते हुए कहा, "बत्ती जली हो तो मुझे नींद नहीं आती, तुम्हें पता है फिर भी परेशान करते हो। भाटिया साहब ने बहस करना उचित नहीं समझा। वे बत्ती बुझा कर बरामदे में चले गये। बगल के फ्लैट के श्रीवास्तव जी भी इत्तफ़ाकन अपने बरामदे में थे। भाटिया साहब ने उन्हें अपनी मनःस्थिति का परिचय दिया और बोले, मैं एक महाकाव्य लिखने जा रहा हूँ, हिन्दी का पहला प्रामाणिक महाकाव्य। वह अठारह सर्गों का होगा। उसमें केवल दो पात्र होंगे, सागर और सरिता।"

श्रीवास्तव जी को बड़ी चिढ़ हुई। वे विज्ञान के आदमी थे, साहित्य का सहारा लेकर प्रेम निवेदन उन्हें हमेशा से एक घटिया हरकत लगी थी। उन्होंने कहा, तुम सोचते हो महाकाव्य लिख कर तुम कवि कालिदास बन जाओगे भाटिया। तुम केवल देवदास बन कर रह जाओगे, वह भी फटीचर देवदास।

'घर में कलह हो तो सलीके से प्रेम भी नहीं किया जा सकता', सिद्धान्त को मान कर कॉलोनी के कई पुरुषों ने अपनी पत्नियों से सन्धि कर ली। सन्धि की शर्तों में मिसेज़ पाण्डे की बुराई करना अनिवार्य रूप से शामिल था, जो कि कलेजे पर पत्थर रख पुरुषों ने की।

अगस्त में एक साथ तीन छुट्टियाँ पड़ने वाली थीं। क्लब के अनुसार पिकनिक के लिए यह आदर्श मौका था। योजनाएँ तो

नैनीताल तक की बनीं लेकिन अन्त में चित्रकूट चलने का ही कार्यक्रम बन पाया। बहुतों ने यह रमणीय स्थल देखा न था, जिन्होंने देखा था वे फिर देखना चाहते थे। एक और सुविधा यह थी कि रोडवेज की एक्सप्रेस बस आसानी से उपलब्ध थी। बारिश का अन्देशा था लेकिन उसे भी सबने एक सौन्दर्यवादी सम्भावना के रूप में स्वीकार कर लिया था।

जब बस चली तो मन प्रसन्न हो आया। मिसेज़ बजाज खिड़की से मुँह निकाल गुनगुनाने लगीं। भूख भी बढ़िया लगी, सबने मिल-बाँट कर खाया। बस के अन्य मुसाफ़िर कौतुक से इस टोली को देखते रहे।

पीपल वाली धर्मशाला में आसानी से जगह मिल गयी। सामान टिका सबने नहाया। मन तरोताज़ा हो आया, मन्दिरों में दर्शन किये गये और अन्त में तुलसी मन्दिर के पीछे हरे-भरे उद्यान में वे लोग बिखर गये। गाने का कार्यक्रम हुआ। मिसेज़ बजाज ने गाना सुनाया। मिस्टर भाटिया की भतीजी आभा ने, जो साथ आयी थी, 'रहना नहीं देश बिराना है' सुनाया। उसने अभी-अभी संगीत प्रभाकर पास किया था। इस भजन से वातावरण इतना निर्मल हो उठा कि इसके बाद जिसने भी गाया, भजन ही गाया। एक गाने और दूसरे गाने के बीच पड़े अन्तराल में आभा मिसेज़ पाण्डे से गाने के लिए अनुरोध करने लगी। पहले मिसेज़ पाण्डे ने गला खराब होने का बहाना किया किन्तु आभा नहीं मानी। बाकी लोग भी आभा के सहारे मिसेज़ पाण्डे से आग्रह करने लगे। अन्ततः मिसेज़ पाण्डे को गाना ही पड़ा पाण्डे साहब का भी अनुरोध था और उनका अनुरोध मिसेज़ पाण्डे टाल नहीं सकती थीं। 'लागा चुनरी में दाग, छुपाऊँ कैसे' मिसेज़ पाण्डे ने आरम्भ किया तो माहौल में खामोशी तारी हो गयी। उनके गले की तैयारी और फनकारी ने सबके चुलबुलेपन पर सन्नाटा-सा खींच दिया। बस भजन खत्म होने से पहले मिसेज़ भार्गव ने फुसफुसा कर मिसेज़ चौहान से

कहा, मर्दों के बीच इतना बेपर्द गाना सुनाने का क्या तुक है?

मिसेज़ चौहान बोलीं, अरे भजन है।

लेकिन आभा की फ़रमाइश थी गज़ल की। मिसेज़ पाण्डे ने वह भी पूरी की। उन्होंने अमीर मिनाई का कलाम सुनाया—

करम कि तेरे करम का उम्मीदवार हूँ मैं, गुनाहगार हूँ या रब गुनाहगार हूँ मैं।

गहराती साँझ में बिना साज़ के उनकी आवाज़ का सोज़ दिलों में उतरा जा रहा था। यह आवाज़ नहीं गुनाह के मलाल का एक अहसास था जो रीढ़ की हड्डी को झनझनाता, जड़ों तक उतर रहा था। इस कलाम में पश्चात्ताप और प्रायश्चित अगल-बगल रखे थे। श्रोताओं में बैठे भाटिया साहब को सरिता पाण्डे की आवाज़ एक इतिहास लग रही थी जो सदियों की साँकलें खटखटा कर बाहर आने का प्रयत्न कर रही थी। इस गज़ल के बाद चिरकुट गायकों के गाना सुनाने के हौसले पस्त हो गये और सभा बर्खास्त समझी गयी।

एक पवित्र भोजनालय में खाना खाया गया। रात का पहला पड़ाव पड़ चुका था। वापसी के लिए इस वक्त कोई बस नहीं थी। लिहाज़ा रात धर्मशाला में काटने का निर्णय लिया गया। धर्मशाला के मुनीम जी ने आश्वासन दिया, कोई कष्ट न होगा, चारपाइयाँ मिल जायेंगी, सुबह पहली बस से निकल जाइयेगा।'

बच्चों को कमरे में पंखा चला कर सुला दिया गया। धर्मशाला कायदे से बनी हुई थी। दो ओर लम्बे-लम्बे बरामदे थे और बीच में विस्तृत आँगन। बारिश की आशंका से आँगन की बजाय बरामदों का ही चयन किया गया। चारपाइयाँ बिछते ही अपने आप जनानखाने, मर्दानखाने बन गये और दिन भर की चलगत से बेहाल सब बिस्तरों पर पड़ गये।

श्रीमती सक्सेना को नयी जगह, ढीली चारपाई और उठाऊ बिस्तर पर नींद नहीं आ रही थी। उन्होंने पिछले वर्ष अपने लिए डनलप

के गद्दे खरीद लिये थे और अब उन्हें डनलप के अलावा हर किस्म का बिस्तर शर-शय्या लगता था। फिर खाना भी वे परहेज़ी खाती थीं। घर में उनके लिए खाना अलग से पकाया जाता। आज चटनी, अचार, आलू और मसाले मिल कर पेट में गड़बड़ मचा रहे थे। उन्हें बार-बार अपनी पुदीनहरा की शीशी याद आ रही थी जो ऐन चलते वक्त वे रखना भूल गयी थीं। उनसे अगली चारपाई पर सरिता पाण्डे बेसुध सोयी पड़ी थीं। कुछ देर वे अँधेरे में उन्हें देखती रहीं। उन्होंने अपना चश्मा सोने से पहले, हिफ़ाजत के ख़्याल से पति की कमीज़ की जेब में डाल दिया था इसलिए मिसेज़ पाण्डे का चेहरा धुँधला दिखायी पड़ रहा था पर साँचे में ढली उनकी देहयष्टि का आभास अच्छी तरह मिल रहा था। मिसेज़ पाण्डे की लड़कीनुमा देह पर चर्बी का नामोनिशान नहीं था, जबकि मिसेज़ कुमुद सक्सेना का चर्बी के मारे बुरा हाल था। कमर से क्रमशः कूल्हों तक वे बहुत भारी थीं। उनके बाल भी असमय सफेद हो चले थे जबकि उनके पति अभी भी छरहरे, लम्बे, काले बालों वाले जोशीले नौजवान लगते थे। देखते-देखते वे अपने पति की चाची नज़र आने लगीं थीं और आश्चर्य नहीं अगर वे जल्द ही अपने पति की माँ भी लगने लगतीं। उनके मन में सुडौल नवयोवनाओं के प्रति आतंक और आशंका का भाव हरदम बना रहता। उन्हें दिनोंदिन ऐसा महसूस होता मानो वे धीरे-धीरे लुटी जा रही हैं। उनके बच्चे कॉलेज में बी.एस-सी. और इण्टर फाइनल में थे, पति की आला आमदनी थी, घर में आराम के समस्त साधन थे लेकिन वे अपने को वंचित ही पातीं। इधर जब से कैन्सर के डर से डॉक्टर ने उनकी बच्चेदानी निकाल दी थी, वे और भी उद्विग्न रहने लगी थीं, गैस की शिकायत भी तभी से हुई थी!

कुमुद सक्सेना सोच रही थीं, चैन से सोती ये सब औरतें कितनी सुखी हैं, लगता है इनमें से एक को भी गैस की शिकायत नहीं है। उनका अपना जीवन कितना जानलेवा है, न पापड़ खा

सकती है न पकौड़े, न ज़्यादा पानी पी सकती है न चाय। हर चीज़ से उन्हें गैस बनती हैं। उनके बच्चों और पति का मेदा ऐसा हैं कि पत्थर भी चबा लें तो हज़म हो जाय, लेकिन वे परवल और उबली मूँग की दाल के सिवा कुछ नहीं ले पातीं। बल्कि कई बार तो वे कुछ नहीं खातीं और गैस हो जाती है। इधर उनके पेट में अफ़रा आया, उधर पति-पत्नी में लड़ाई शुरू हो जाती है। सक्सेना साहब यह मानने को तैयार नहीं कि बिना कुछ खाये गैस बन सकती है। उनका ख़्याल है कि पत्नी चोरी-छिपे तल-भुन कर नमकीन उड़ाती है। ऐसे आरोप सुन मिसेज़ सक्सेना के आँते-पीते जल उठते हैं।

बड़ी मुश्किल से आधी रात के बाद जब लगातार करवटें लेते रहने पर नीचे ऊपर से कुछ-कुछ हवा सरकी तब कहीं मिसेज़ सक्सेना की आँख लगी। लेकिन पेट पूरा दुरुस्त न होने की वजह से कम्बख्त सपने आने शुरू हो गये। असम्बद्ध दृश्यचित्र—वे गोपेश खन्ना की दुकान से साड़ियों के सत्रह पैकेट लेकर निकल रही हैं; बब्बू को तेज़ बुखार चढ़ रहा है, वह बर्रा रहा है; बाजार में डालडा नहीं मिल रहा है, उनके छोटे भइया को शादी में कार मिल रही है, वे और सक्सेना साहब मस्त मौसम में जंगल में भटक रहे हैं, पेड़ों के बीच झाड़ियों के इर्द-गिर्द, वे शबाना आज़मी की तरह दुबली हैं और उनके सिर पर काली घटाओं से बाल छाये हैं, उन्होंने धानी साड़ी पहनी हुई है। सक्सेना साहब कभी उनका हाथ पकड़ लेते हैं तो कभी कमर से थाम लेते हैं; अचानक सक्सेना साहब एक कुएँ की तरफ़ बढ़ने लगते हैं। मिसेज़ सक्सेना उन्हें रोकती हैं, टोकती हैं, इस निकम्मी जगह पर क्या करने जा रहे हो जी; पर सक्सेना साहब नहीं सुन रहे। वे बढ़े चले जा रहे हैं। जंगल के बीचोबीच यह पक्का खूबसूरत कुआँ बना हुआ है, क्यों बना है, कुमुद सक्सेना पति से पूछ रही हैं पर सक्सेना साहब बिना उत्तर दिये, कुएँ में छलाँग लगाने के लिए अपनी कमीज़ उतार कर एक तरफ़ फेंक देते हैं और कुएँ की तरफ़ लपकते हैं...मिसेज़ सक्सेना

की नींद झटके से टूट गयी। वे घबड़ा कर उठ बैठीं! सब चैन से सोये पड़े थे। रात अपने पिछले पंजों पर खड़ी थी। चाँद बहुत नीचे उतर आया था। सब तरफ़ सन्नाटा था। उन्हें यह सोच कर बड़ी तसल्ली मिली कि यह सब महज़ सपना था। सक्सेना साहब इतने मूर्ख कभी हो ही नहीं सकते।

कुमुद सक्सेना बाथरूम जाने के लिए नीचे अपनी स्लीपर टटोल रही थीं, तभी अपने बराबर की चारपाई पर उनकी नज़र पड़ी। वे बुरी तरह बौखला गयीं। सरिता पाण्डे अपनी चारपाई पर नहीं थीं। घबरा कर मिसेज़ सक्सेना ने इधर-उधर देखा। उनका सिर चकरा रहा था। पैरों के नीचे से ज़मीन रेत की तरह खिसक रही थी, पूरी धर्मशाला आँखों के आगे गोल-गोल घूम रही थी। दूर-दूर तक चाँद की उजास में सब कुछ चमक रहा था पर मिसेज़ सक्सेना की नज़र चश्मे के बिना उनका साथ नहीं दे रही थी। नज़र क्या दिमाग़ भी साथ नहीं दे रहा था।

उन्होंने लगभग बुदबुदाते हुए चार-छह गालियाँ सरिता पाण्डे को निकालीं फिर उनका क्रोध पति की ओर मुड़ गया। धूर्त कहीं के, इसीलिए मेरा चश्मा इतनी घप्प से अपनी जेब में डाल लिया था। अब बात यहाँ तक पहुँच गयी है। इस औरत का तो कोई धर्म नहीं है लेकिन वे तो बाल-बच्चेदार आदमी हैं, उन्हें तो अपनी इज्ज़त का ख़्याल होना चाहिए।

उन्होंने थोड़ा उठ कर दूसरे बरामदे में देखने की कोशिश की जहाँ मर्द सोये हुए थे लेकिन नज़र ने साथ नहीं दिया, उलटे लगातार दृष्टि जमाने से आँखों के आगे अँधेरा छा गया। थक-टूट कर वे अपनी चारपाई पर बैठ गयीं। उन्हें अपने दिल की पुक-पुक एकदम साफ़ सुनायी दे रही थी। वे आज आसमान से हवाई जहाज़-सी गिरी थीं। एक-एक पल उन्हें घण्टे-सा लग रहा था। अगर मिसेज़ पाण्डे बाथरूम जाने के लिए उठी होतीं तो अब तक क्या वापस न लौट आतीं; पानी पीने को उठतीं तो सामने ही सुराही

रखी है, क्या पानी पीती नज़र न आतीं। इतनी गयी-गुज़री नज़र तो नहीं है कुमुद सक्सेना की कि सवा पाँच फुट की औरत न दिखे। एक पल को उन्होंने सोचा बायीं तरफ़ सोयी मिसेज़ गुप्ता को उठा दें, फिर वे जब्त कर गयीं। कहीं उनकी ढुँढाई में उस चुड़ैल के साथ सक्सेना साहब बरामद हुए तो क्या करेंगी, किस मुँह से कॉलोनी में नज़र आयेंगी।

उनका मन कड़ुवाहट से और पेट जलन से भर गया। इस आदमी से शादी कर सच, उन्हें एक दिन सुख नसीब नहीं हुआ। शुरू के आठ साल इनके माँ-बाप की कैसी कमरतोड़ सेवा कुमुद जी ने की, इनके भाई पढ़ाए, बहने ब्याहीं। खुद पुरानी साड़ियाँ पहनीं पर इनके बच्चों को कॉन्वेन्ट में पढ़ाया। अभी भी कितनी सेवा करती हैं। इनका क्या है, बैठे-बैठे हुक्म चलाना आता है। जूता-पॉलिश से तेल-मालिश तक—सब उनके जिम्मे है। इनके ऊदबिलाव जैसे बच्चों का होमवर्क कराना, बाज़ार के फेरे लगाना, कपड़े धोना, नाश्ता बनाना, क्या नहीं करतीं वे! तबियत अलग खराब रहती है। फिर भी अपनी ड्यूटी की पक्की हैं। कोई कह दे कभी सक्सेना साहब को बगैर इस्त्री की हुई कमीज़ में देखा हो। मैंने क्या नहीं किया इनके लिए, अपना घर छोड़ा, शौक छोड़े, नाते-रिश्ते तोड़े, इनके माँ-बाप का गू-मूत तक उठाया और यह इंसान एक मिनट में तोता-चश्म हो गया। वे हल्की-सी कराहीं, मुझे क्या चूल्हे में जाओ, भाड़ में पड़ो, जब तुम्हें अपनी इज्ज़त प्यारी नहीं तो मैं कहाँ तक तुम्हें बचाऊँगी। वाह रे मर्द बच्चे, अबला से भी अबला हो गये तुम। तभी न शाम को सिर हिला-हिला कर भजन सुना जा रहा था...।

असीम थकान से भर वे बिस्तर पर गिर गयीं। पाटी में सिर गड़ा वे औंधी पड़ गयीं। अपने दुर्भाग्य के सन्दर्भ में उन्हें अपने पर अपार दया उमड़ी। जिस स्त्री का स्वामी दुराचारी निकल जाये उसे आत्मदाह के अलावा और क्या करना चाहिए। हे ईश्वर वे क्या

करें, जल कर या कट कर मरना तो उनके बस का नहीं, तो क्या नींद की गोलियाँ खाकर सो रहें। पर उन्हें तो किसी गोली का नाम भी नहीं मालूम। अपने प्यारे-प्यारे बच्चे लेकर वे कहाँ चली जायें कि सक्सेना साहब लाख सिर पटकें, वे लौट कर न आयें। इसी जीते-जागते दुःस्वप्न को आँखों में लिये-लिये वे करवटें बदलती रहीं, सोती-जागती रहीं।

जब दिन हल्का-हल्का फूट रहा था और उन्हें अपने दारुण दुःख का कोई किनारा नहीं मिल रहा था, तब बायीं तरफ़ की तीसरी चारपाई से मिसेज़ गुप्ता किसी अनिवार्यतावश उठीं और फ़ारिग होकर वापस चारपाई तक आयीं। किसी और को जागता देख कुमुद सक्सेना की जान में जान आयी। वे उठ कर मिसेज़ गुप्ता की ओर ऐसे भागीं जैसे बरसों से बिछुड़ी हों।

मिसेज़ गुप्ता ने चकित होते हुए कहा—"अरे बहन जी क्या रात पर सोयी नहीं।"

मिसेज़ सक्सेना झटके से वर्तमान में लौटीं। अपनी लज्जा ढँकते हुए बोलीं, 'ऐसे ही पेट में बड़ी गैस हो गयी थी, नींद उचट गयी।'

मिसेज़ गुप्ता ने एक घाघ नज़र मिसेज़ सक्सेना पर डाली, "हाँ भाई साहब के बगैर नींद आती भी कैसे?"

कुमुद सक्सेना को मन-ही-मन रुलाई छूट गयी। सारी कॉलोनी उन्हें एक आदर्श दम्पति मानती आयी थी। किसी को क्या पता रात भर उन पर क्या बिजली गिरी है। उन्हें लगा वे अगर तुरन्त मुड़ कर अपने बिस्तर पर नहीं गयीं तो वह बात उनके मुँह से आह की तरह फूट पड़ेगी। वे बहुत बीमार महसूस करती हुई अपने बिस्तर की तरफ चल दीं। तभी बीच की चारपाई के पाये से उन्हें ठोकर लगी, वे चीख मार कर रो पड़ीं। मिसेज़ गुप्ता उनकी ओर लपकीं, "कहाँ लगी, कहाँ चोट आयी।"

'हाय राम मैं मर गयी, उह मैया उठा ले मुझे', मिसेज़ सक्सेना

ऊँचे स्वर में रो पड़ीं। चोट उनकी चटली उँगली में लगी थी लेकिन वे अपना कलेजा दबाती विलाप कर रही थीं।

शोरगुल से सभी लोग एक-एक कर उठ गये। मिसेज़ सक्सेना का रोना-धोना सुन कुछ पल वे चौंके, फिर कारण जान कर इतमीनान से वापसी की तैयारियों में लग गये।

बीतते हुए

अचानक उसने पाया कि उनकी शादी को एक साल हो गया है। उसने यह बात अपने पति से, उसके दफ्तर से लौटने पर, चाय पीते वक्त कही।

पति ने कोई आश्चर्य नहीं दिखाया। उसने कहा, 'मुझे तो लगता है, पाँच-छह साल हो चुके हैं।'

उसे अपने पर गुस्सा आया। कई बार उसने तय किया है कि वह नौ बजे से पहले पति से कोई निजी बात नहीं करेगी। नौ बजे के बाद उसे हर बात की रिस्पॉन्स मिलने लगती है। 'मैं भुलक्कड़ हूँ', उसने सोचा।

'कल इतवार है', पति बोला।

'मुझे अपनी कई साड़ियाँ धोनी हैं', उसे याद आया और वह वार्ड-रोब खोल कर व्यस्त हो गई।

पति ने रेडियो की सुई पर कई स्टेशनों की सैर की और तकिये को दोहरा मोड़ कर लेट गया। थोड़ा-सा उचक कर उसने पायताने देखा, फिर बेड-कवर का एक सिरा बदन पर लपेट लिया।

उसने कुछ साड़ियाँ छाँट कर वार्ड-रोब के अन्तिम खाने में रख दीं और अखबार में सिनेमा के विज्ञापन देखने लगी। अंग्रेजी उसे नहीं आती थी, रोमन शब्द भी नहीं, पर चित्रों से वह अटकल लगा लेती थी। उसने सोचा, वह बाथ-रूम में जाकर मुँह धो आये। पर पति सो चुका था और जब वह उठेगा, तो सिर्फ खाना खाने के लिए, और उसके तुरन्त बाद वह बिजली बुझा देगा।

'मुँह धोना जरूरी नहीं', उसने निर्णय लिया और अखबार के नुकीले कोने से उँगलियों की मैल निकालने लगी। उसने देखा, नेल-पालिश उतरने लगी थी और उँगलियों पर खुरंडों की तरह कहीं-कहीं जम गई थी।

वह सारा दिन घर में रहती थी। उसे घर में रहने की खूब आदत थी। माँ-बाप के घर में भी वह हमेशा अन्दर रही थी। कभी-कभी जूते खरीदने या दर्जी को ब्लाउज का माप देने के लिए माँ के साथ वह बाहर निकलती थी। उसे उस दिन सड़क की भीड़, चलते-फिरते, इतने सारे, इतनी उम्रों के लोग अजीब लगते और वह उन्हें घूरने लगती। उसकी माँ अक्सर उसे डाँटती, 'सिर झुका कर चला कर।'

पर सिर नीचा करते ही उसकी निगाह अपने पर चली जाती थी और उसने देखा था, आगे से सपाट रहने वाला ब्लाउज, धीरे-धीरे, सपाट नहीं रह गया था। सिर झुकाने पर उसका मन और भी झुक जाने को करता था, उसका मन चित लेट जाने को करता था।

'जिन बातों के लिए माँ डाँटती थी, उनके लिए पति क्यों नहीं डाँटता?' वह सवाल करती और इस आरामदेह स्थिति के लिए खुश हो जाती।

'इसे नाराज नहीं करना चाहिए, नहीं तो यह मुझे माँ-बाप के यहाँ भेज देगा।' उसने सोते हुए पति को लाड़ से देखा।

माँ-बाप के घर उसे दो वक्त खाना बनाने के साथ-साथ कपड़े भी धोने होते थे और दोपहर में पापड़ भी बेलने पड़ते थे।

'और वहाँ अकेले सोना पड़ेगा जो मुझसे नहीं होगा', उसने तया किया, वह कभी पति को नाराज नहीं करेगी।

वह अभी कल ही उससे काफी नाराज हो चुका था। उसने पास वाली दूकान से, दो रुपये दो आने में पेपरमैशी का बना एयर इंडिया का महाराजा खरीद कर दहेज में मिले रेडियो पर रख दिया था। उसके ख्याल से यह घर देवी-देवताओं के चित्र और मिट्टी के

खिलौनों बगैर काफी सूना लगता था। वह बड़ी उत्सुकता से पति का इन्तजार कर रही थी और बार-बार रेडियो तक जा रही थी।

जब पति आया, उसके साथ दफ्तर के दो दोस्त भी थे।

उसने घूर कर महाराजा को देखा और पत्नी से चाय बनाने को कहा।

जब दोस्त चले गये, पति ने उसे जबरदस्ती पकड़कर पलंग पर नहीं लिटाया, वरन् वह महाराजा को बाथ-रूम में मैले कपड़ों की टोकरी में डाल आया। 'कभी-कभी यह बहुत सख्त हो जाता है', उसने उसकी ओर लगातार देखते हुए कहा।

कल मैं नाश्ते में इसे अच्छी-सी चीज़ बना कर खिलाऊँगी—पर यह सोचने के साथ ही वह उदास हो गयी। अच्छी चीज़ें वह सिर्फ घी में तल कर ही बना सकती थी और तली हुई चीज़ों से पति को नफरत थी। पहले-पहल उसे यह देख कर काफी दहशत हुई थी कि पति तीन साढ़े-तीन सौ ग्राम उबली सब्जियाँ, बिना मसाले-तेल के, सिर्फ नमक और कालीमिर्च के साथ खा जाता है। खाता वह था, उल्टी पत्नी को आती थी।

'अभी मेरे, उल्टी करने के दिन नहीं हैं', उसे उन सब चीजों का ख्याल आया जो पलंग पर चादर के नीचे रखी थीं और अभी तक खत्म नहीं हुई थीं।

'यह इतना ज़्यादा सोता क्यों है, मुझसे बात क्यों नहीं करता?' पत्नी को अफसोस हुआ।

शुरू में वह दफ्तर से आकर कभी नहीं सोता था। वे दोनों चाय पीकर, बाहर घूमने जाते थे। 'पर अच्छा है, हम घूमने नहीं जाते, मैंने पिछले छह महीनों में पचास-पचास करके काफी रुपये जमा किये हैं।' पत्नी को सन्तोष महसूस हुआ।

पति उसे घुमाने नहीं ले जाता था, इसकी उसे शिकायत नहीं थी, पर वह उसे पड़ोसिनों से नहीं मिलने देता, इसकी शिकायत थी। पड़ोस में जाने की या उन लोगों को बुलाने की, उसे सख्त

मनाही थी। पति का कहना था कि आस-पास जान-पहचान हो जाने से जीना दूभर हो जायेगा। पर उसे जीना अब दूभर लगता था, जब एक हरी मिर्च के लिए उसे चार मंज़िल नीचे उतरना पड़ता था और लौट कर वह स्टोव बन्द कर, पहले आधा घण्टा लेटती थी।

'कितना अच्छा हो, अगर कल हम सिनेमा जायें', पत्नी की इच्छा हुई। फिर उसे ध्यान आया, कि कल इतवार है और पति दस बजे सोकर उठेगा, और फिर चाय के पॉट के साथ-साथ मोटी-मोटी बहुत-सी किताबें लेकर बैठ जायेगा।

पढ़ते समय वह उसे बिल्कुल भूल जाता है।

'सच तो यह है कि मुझे इसकी एक भी बात समझ में नहीं आती।' पत्नी ने हार कर सोचा।

शिष्या

'तुमने शादी क्यों नहीं की अब तक?'

इस सवाल तक आने में लोग ज़्यादा देर नहीं लगाते। ज़्यादा से ज़्यादा दूसरी या तीसरी मुलाकात। उनके जेहन में अपनी गतयौवना सालियाँ और बहनें कौंधने लगतीं।

मैं भी जवाब देते-देते पारंगत हो गया हूँ।

मेरा जवाब प्रश्नकर्ता और श्रोता पर निर्भर करता है।

'क्या बताऊँ, जितनी अच्छी लड़कियाँ थीं, उनकी पहले ही शादी हो चुकी थी। बाकी लड़कियों को बेहतर लड़कों की तलाश थी।'

खिलखिल-खिलखिल-हँसी का झरना बह निकला।

सुनीता अवस्थी अपनी भूरी आँखों और सुनहले बालों के संग हँसती जा रही थी। उसकी खुशी पर निसार राजेश अवस्थी ने व्हिस्की का अपना गिलास उसकी तरफ सरका कर इसरार किया, 'एक सिप ले लो डार्लिंग। तब इस पक्के बैचलर की बातों में और भी मजा आयेगा।' सुनीता अवस्थी ने अपनी पतली, कलात्मक उँगलियों से गिलास हटाया, कुछ इस तरह कि उसके सुनहले बालों ने उसका आधा चेहरा ढाँप लिया।

'नईं राजे, यू नो आई कांट', उसने कहा।

ओफ। क्या नजारा था। कभी आधी रात में आधा चंद्रग्रहण देखा न था। आज रात नौ बजे यह भी घटित होना था। कुछ पल के लिए किसी का खुलेआम प्रेम प्रदर्शन दिख जाये तो अपना

अकेलापन चिकोटी काटने लगता है—रहे तुम अहमक के अहमक। चालीस बरस में एक भी ऐसा मुकम्मल रिश्ता नहीं बना पाये जो तुम्हें सीरियसली ले। जितनी लड़कियाँ तुम्हें मिलीं, सब एक-एक कर शादी कर चलती बनीं। तुम सिर्फ उनकी शादी में तोहफे का पैकेट थामे, अपने फैब इण्डिया के कुर्तों में खड़े रह गये। कारवाँ गुजर गया गुबार देखते रहे।

इस वक्त यह भी अफसोस हुआ कि मैं हिन्दी डेली का संवाददाता ही क्यों हुआ। होता मैं अमिताभ बच्चन तो जुल्फों के गिरते ही कह देता, 'लॉक किया जाय।'

सुनीता अवस्थी के भरे-भरे होठ कत्थई लिपस्टिक से और भी भरे लग रहे थे। वह उन बेहद गोरी महिलाओं में से थी जिनके बारे में गुलजार लिख चुके हैं कि लगता था उनके कपड़ों के अन्दर कहीं ट्यूबलाइट जल रही है। उसके आगे हॉल में बैठीं समस्त महिलाएँ मामूली लग रही थीं। यह तय करना मुश्किल था कि खुद उसे अपने जादू का अहसास था या नहीं। सुनीता की नज़र एकदम स्थिर थी। उसकी निगाहें ज़्यादा समय राजेश पर टिकी थीं। जहाजी कंपास की तरह वे उसकी दिशा में घूम कर वापस अपने नींबू-पानी पर टिक जातीं।

वैसे अब तक वह दो बार मुझसे मुखातिब हो चुकी थी पर वे नज़र के छोटे-छोटे सफर थे, हड़बड़ी में किये और समेटे गये। जब प्रत्यूष ने मेरा परिचय उससे करवाया, सुनीता ने कहा, 'बाप रे, मुझे तो पत्रकारों से बड़ा डर लगता है।'

'आपको कैसा खतरा? न आप पॉलिटिक्स करती हैं, न व्यापार। उलटे डरना तो हमें चाहिए आपसे।'

प्रत्यूष ने कहा, 'इनसे क्या खतरा हो गया तुम्हें?'

राजेश अवस्थी ने कहा, 'इनसे तो घर के मक्खी-मच्छर भी नहीं डरते।'

मेरे मुँह से निकला, 'जहाँ सुन्दर लड़कियाँ होती हैं, वहाँ

वारदात की गुंजाइश बनी रहती है।'

'मैं हूँ न, इनका बॉडीगार्ड', राजेश ने कोने की मेज चुनते हुए कहा।

'बॉडी तो हो, गार्ड हो न हो', प्रत्यूष ने ठहाका लगाया और हम सब हँसने लगे। इस हँसी ने हमारे ऊपर से दफ्तर की मनहूसियत धोकर हमें निर्मल बना दिया।

हम चमकने लगे, हाथ में थमे क्रिस्टल गिलासों की तरह। दारू के चंद कतरे हमारे हलक में उतरे तो हम राग-द्वेष से ऊपर उठ गये। हेस्टी टेस्टी बार की खासियत यह थी कि अपने नाम के विपरीत यह बहुत आरामदेह अड्डा था। बेंत की कुर्सियों पर फोम की गद्दियाँ और पीठ पीछे सेमल के कुशन देह को ऐसा सहलाते कि हमें लगता हम बार में नहीं स्पा में आ गये हैं।

इस वक्त प्रत्यूष अपनी भर्राई आवाज में तीसरी बार कह रहा था, 'राजेश जल्दी ड्रिंक खत्म करो, बहुत भूख लग रही है।'

मैंने थोड़ी चिढ़ से प्रत्यूष की तरफ देखा। अभी हमारा दूसरा पैग शुरू हुआ था। इसे क्या पता इतने खूबसूरत माहौल में हिन्दी के खबरनवीस को दारू कब नसीब होती है। अभी तो अपनी जमीन तैयार हो रही थी।

सुनीता अवस्थी बार-बार सलाद की प्लेट उसके सामने करती जिसे वह हर बार वापस खिसका देता।

'जब मुझे भूख लगी हो तो सलाद जहर लगता है। यह क्या कि पेट तो माँगे मुर्गा और हम बकरी की तरह गाजर-मूली चबाएँ', उसने कहा। भूख की बार-बार घोषणा करना प्रत्यूष का तकिया-कलाम है। वह मुझे जब भी मिला है, खाने जा रहा होता है या खाकर वापस आ रहा होता है। उसका मुँह चलता ही रहता है, कभी पान तो कभी पान मसाला। और कुछ नहीं तो वह चूरन की गोली चूस रहा होता है। उसकी यह भर्राई आवाज पान मसाले की ही देन है। हर घण्टे पर वह पान-मसाले का नया पाउच खोल कर मुँह में ऐसे

उँड़ेल लेता है जैसे इंजन में ईंधन पहुँचा रहा हो। उसने आइनॉक्स जैसे सिनेमा हॉलों में फिल्म देखनी बन्द कर दी है क्योंकि वहाँ पान मसाला खाना या ले जाना मना है।

मेरा यह मानना है कि जीवन से हताश लोग ही पान मसाले की शरण में जाते हैं। एक बार कहीं एक फीचर छपा भी था कि हरदम खाना हताशा की निशानी है लेकिन प्रत्यूष में हताशा के अन्य कोई चिह्न नजर नहीं आते थे। तरह-तरह की योजनाओं से भरा वह एक गैस का गुब्बारा बना रहता, हमेशा ऊपर उड़ने वाला। उसके गदबदे शरीर को देख कर कोई भी कह सकता था कि यह भोजनभट्ट है। सोलहवें साल में ही वह द्विवेदी होने की दुविधाओं को पार कर भोजन तालिका की सामिष सूची तक पहुँच गया। वह बीहड़ से बीहड़ व्यंजन में दाँत गड़ा कर हमें विस्मित और चकित होने के लिए छोड़ देता। जहाजी सफर के दौरान उसने केकड़े और लॉबस्टर के अलावा शार्क के पकौड़े भी खा रखे थे लेकिन लाख कोशिशों के बाद भी वह अपनी पत्नी कृति को सामिष व्यंजन खिलाने में कभी कामयाब नहीं हो पाया। एक बार उसने कृति को धोखे से कबाब को कटलेट कह कर चखा दिया तो कृति मुँह के साथ-साथ नाक पकड़ कर वॉशबेसिन की तरफ ऐसी भागी कि प्रत्यूष की फिर कभी हिम्मत ही नहीं हुई।

आश्चर्य की बात यह कि जब उसने दोस्तों के बीच यह घटना बतायी तो पता चला बहुतों के अनुभव इसी तरह के थे।

इस वक्त राजेश अवस्थी कह रहा था, 'मेरी भी कोशिश है कि सुनीता शाकाहार छोड़ दे तो कम से कम तसल्ली का खाना तो पके घर में।' प्रत्यूष ने आँखों में शरारत भर कर कहा, 'आज ही शुरू किया जाये। लीजिए आप फिश फ्राई ट्राई कीजिए।'

'शीशु, नईं, कभी नईं', सुनीता ने उलटी हथेली से होंठ ऐसे ढँक लिये जैसे अगर न ढँके तो मछली सचमुच उसके मुँह में चली जायेगी।

शाम के खाने की मेनू तय करने में प्रत्यूष की दिलेर भूमिका रही। सुनीता के लिए पनीर मसाला और कड़ाही पनीर चुना गया तो राजेश और साथियों के लिए बोनलेस चिकन के दो-तीन व्यंजन। सुनीता के लिए प्लेट में बची हुई हड्डियाँ देखना सम्भव नहीं था। यह नागवारी वह दिल्ली से लेकर आयी थी। वहाँ जब भी कभी वह अपने माता-पिता और बहनों के साथ काके दा ढाबा में खाने गयी, उसने टेबल खाली होने का इन्तजार करते हुए पाया कि खाकर उठ जाने वाले ग्राहक की टेबल का नजारा ऐसा होता जैसे जंगल का राजा शिकार के बाद उठ कर गया हो। हर प्लेट में हड्डियों का अम्बार होता। उसकी छोटी बहन भोली ने तो इस जगह को हाड़महल कहना शुरू कर दिया था। सुनीता कहती, 'हमें मक्खनी दाल और पनीर कोरमा खाना है, कहीं और भी जाकर खा सकते हैं।'

उसके पापा बोलते, 'ऐसी लज्जत कहीं नहीं मिलेगी। दाल हो या चिकन-मटन, यहाँ हरेक चीज असली घी में पकती है।'

सुनीता और भोली अड़तीं, 'हमारे सामने ये हड्डी-पसली वाला खाना न मँगाना।'

उनके घर में सिर्फ पिता मांसाहारी थे। उनके लिए बाहर खाना खाने का आकर्षण सिर्फ मांसाहार था। वे बिगड़ जाते, 'तुम दोनों भूतनियाँ ऐसे करोगी तो मैं चोरी-छिपे खाऊँगा। तब और स्वाद लगेगा।'

'क्यों?' वे पूछतीं।

'क्योंकि चोरी की चीज हमेशा ज़्यादा स्वादिष्ट लगती है, और क्या?' पापा कहते।

माँ डर जाती और कहती, 'तुसी खाओ जी जो खाना है, बस बच्चों से बचा कर खाओ। इन्हें अभी घिन लगती है।'

सुनीता पापा की बात परखने के लिए कभी चोरी से चटनी चखती तो वाकई उसे चटनी बहुत सुस्वादु लगती।

शादी के बाद से सुनीता के जीवन में अनुभवों की रील तेजी से चल रही थी। पति उसे अनुरागी मिला था। दफ्तर के तनाव वह कभी घर पर न लाता लेकिन उसके पास अवकाश नहीं था। काम के सिलसिले में उसे बहुधा दौरे पर जाना पड़ता। ऐसी छोटी-छोटी जगहें जहाँ न कायदे का विश्रामगृह होता, न मनोरंजन के साधन। मन मारकर वह पत्नी को अपने बड़े से बँगले में छोड़ जाता। उसे पत्नी की बेहद फिक्र रहती। राजेश दिन में सात-आठ बार फोन करता और उससे ज्यादा बार एसएमएस।

'तुम बोर तो नहीं हो रही हो। नयी सीडी मँगवा कर देख लो।'

'तुम्हारी किटी पार्टी कितने बजे है, ड्राइवर को तुम बता दोगी या मैं फोन करूँ।'

सुनीता हर बार जवाब देती, 'नहीं राजे, मैं एकदम ठीक हूँ, फिक्र मत करो।'

राजेश मन मसोस कर रह जाता। वह सोचता, कहाँ हुआ है अभी टेक्नोलॉजी का विकास? बात करते हुए वह अपनी पत्नी का चेहरा देखना चाहता है पर ऐसा कहाँ होता है। हाँ, सर्किट हाउस के बायीं तरफ मैदान में चर रही गायों की तस्वीर वह लेना चाहे तो ले ले।

उसकी गैरहाजिरी में सुनीता को कहानी लिखने का शौक चर्राया। पढ़ने का चस्का तो पहले से था। हर कहानी पढ़ने पर वह सोचती, ऐसी तो मैं मिनटों में लिख दूँ। इसमें है ही क्या? बस रोजमर्रा की बातें हैं।

उसने कहानी लिखने की कोशिश की तो पाया कि मिनटों के काम में घण्टों क्या, हफ्तों लग गये पर कहानी का ओर-छोर नहीं मिला। उसे लगा इतना आसान नहीं यह काम।

उसने राजेश के लौटने पर कहा, 'राजे मेरे लिए कोई उस्ताद ढूँढ दो।'

राजेश हँस पड़ा। हँसते-हँसते उसने पूछा, 'क्यों कुश्ती सीखने का इरादा है या संगीत?'

जब असली जरूरत पता चली तो आला अफसर का बड़ा मनोरंजन हुआ। उसने कहा, 'शायरी में तो हमने उस्ताद-शागिर्द के होने के किस्से सुने हैं। कहानी के महकमे में यह सब कहाँ चलता है?'

सुनीता बोली, 'सारे दिन मैं घर पर बोर होती हूँ। जितनी मेरी सहेलियाँ हैं, सब कुछ न कुछ करती हैं। सुषमा और परवीन की कहानियाँ छपी भी हैं।'

'तो उन्हीं को बना लो उस्ताद।'

'आप बात टालिए मत। सुषमा और परवीन इतनी बड़ी लेखिकाएँ नहीं हुई हैं।'

ऐसे में राजेश को याद आया प्रत्यूष द्विवेदी जो कॉलेज के जमाने से उसका साथी था। वह कोई स्थापित लेखक तो नहीं बन पाया लेकिन उसने जीवन के कई वर्ष साहित्य सेवा में बिता दिये। आजकल के कई दिग्गज रचनाकारों की प्रारम्भिक कहानियों का सलाहकार और सुधारक वही था। वह अपना वक्त इस तरह साहित्य को सौंपता कि तमाम अच्छी नौकरियों के लिए वह ओवरएज हो गया। अपनी कहानियों का एक संग्रह 'खंडित स्वप्न' उसने अपने खर्च से प्रकाशित किया था जिसका वितरण वह ठीक से नहीं कर पाया। अब भी वह दोस्तों को 'खंडित स्वप्न' की प्रतियाँ बाँटता रहता था। प्रत्यूष का समग्र तेवर साहित्यकार का था। किस्से सुनाने में उसे महारत हासिल थी। जब वे विद्यार्थी थे, क्लास में हँसी-मजाक के लम्हे प्रत्यूष के जिम्मे थे। गणित विषय के टीचर मि. पाल ने एक बार उसकी कॉपी देख कर पटक दी और कहा, 'ओ आई एम फेडअप।' प्रत्यूष ने तुरन्त जवाब दिया, 'आई एम ऑलसो फेडअप।'

कुछ वर्ष प्रतियोगी परीक्षाओं में गँवा कर प्रत्यूष ए.जी. ऑफिस

में अस्थायी नौकरी पर समझौता कर बैठा। वैसे सबको पता था कि उसका मन दफ्तर में नहीं, कॉफी हाऊस में लगता है। न प्रत्यूष नौकरी को गम्भीरता से लेता, न नौकरी प्रत्यूष को। उसके जीवन में नौकरी की बस इतनी भूमिका रही कि उसकी शादी अच्छे घर की एक अच्छी-सी लड़की से हो गयी जिसने बड़ी समझदारी से पति के वेतन और महँगाई के बीच सन्तुलन बैठा लिया।

अब जब राजेश को दौरों से फुरसत नहीं थी, वह यह देख कर प्रसन्न होता कि अन्य अधिकारियों की पत्नियों की तरह सुनीता हरदम शिकायतनामा लेकर बैठने के बजाय कोरे कागज और कलम लेकर बैठती है। बड़े मनोयोग से वह रचना आरम्भ करती है। अगर प्रत्यूष गुरुजी कहानी नापास कर दें तो वह पूरी रचना फिर से लिखती है।

पहले-पहल जब उसने प्रत्यूष से सुनीता की सनक बतलायी, उसने मुँह बिचका कर कहा, 'आजकल अफसरों की बीवियों में यह नया चोचला चला है लेखिका बनने का?'

'क्या तुम्हारी कोई शिष्या है?'

'है तो नहीं, पर मैं देख रहा हूँ पहले लड़कियाँ संगीत सीखती थीं, पेंटिंग करती थीं पर आजकल कलम के पीछे पड़ गई हैं।'

'पर सुनीता में प्रतिभा है, मौलिकता भी है। तुम एक-दो बार बात करके देख लो कि वह सीख सकती है या नहीं।'

पहली मुलाकात में ही प्रत्यूष उत्साह में आ गया। उसने घोषणा कर दी, 'देखना राजेश मैं इन्हें फर्स्ट क्लास लिखना सिखा दूँगा। महीने भर में इनकी रचनाएँ छपने लगेंगी।'

राजेश बोला, 'अबे यह कार चलाना नहीं सिखाना है जो महीने भर में सिखा देगा। साहित्य में लम्बी साधना करनी पड़ती है।'

'लम्बी साधना वालों का जमाना लद गया। अब झटपट लेखन होता है।'

सुनीता ने अपनी कच्ची-पक्की रचनाएँ दिखाईं।

प्रत्यूष ने पढ़कर कहा, 'हम तो चावल के एक दाने से दावत परख लेते हैं। इनमें रुझान है पर भाषा शैली ठीक नहीं है।'

'कब से आओगे तुम?'

'ऐसे नहीं, मेरी भी कुछ शर्तें हैं। एक तो मुझे यह काम अपने ढंग से करने देना। तुम बीच में अपनी अफसरी मत लगाना। रोक-टोक, मीन-मेख निकालना तुम करोगे तो तुम्हीं सिखाना फिर। दूसरे मुझे कोई फीस या रिश्वत देने की कोशिश मत करना', प्रत्यूष ने कहा।

'रिश्वत तो राजे खुद भी नहीं लेते, आपको क्या देंगे?

रही बात फीस की। गुरु दक्षिणा तो देनी ही होती है', सुनीता ने हँसते हुए कहा।

'फिर मैं नहीं आऊँगा', प्रत्यूष उखड़ने लगा।

'अरे हमारी गुरु दक्षिणा में बस एक कप कॉफी या एक पेग दारू होती है', राजेश ने बात समेटी।

अपनी व्यस्तता के बीच राजेश को कभी इस लेखन-अभियान का ख्याल आता तो सुनीता से पूछता, 'कैसी चल रही है तुम्हारी कहानी-ट्रेनिंग?'

सुनीता मगन मन सिर हिला देती, 'बहुत अच्छी।'

उसके चेहरे से ऊब की परत धीरे-धीरे हट रही थी। वह चीजों को बड़े ध्यान से देखती। खबरें बड़े ध्यान से सुनती। पत्र-पत्रिकाओं में डूबी रहती। अब वह सिरदर्द और जुकाम की भी उतनी मरीज नहीं रही जितनी पहले थी। अखबार वह दो बार पढ़ जाती फिर भी उसमें से कुछ न कुछ और पढ़ना रहता। उसके बिस्तर पर दो-एक मोटे उपन्यास हरदम अधखुले पड़े रहते।

उसका कथा-गुरु हफ्ते में एक दिन आता।

सुनीता अपने लिखे पृष्ठ उसे ससंकोच दिखाती। कभी प्रत्यूष एकदम खारिज कर देता, कभी संशोधन सुझाता। कभी उसके पास

अवकाश न होता। तब वह पांडुलिपि साथ ले जाता। सुनीता को चैन न पड़ता। वह बार-बार उसके मोबाइल पर फोन कर पूछती कि उसे कहानी कैसी लगी। प्रत्यूष उसे अपने साथ दो-तीन साहित्यिक-गोष्ठियों में ले गया जहाँ लोगों ने उसका स्वागत किया।

कथा-गुरु के प्रयत्नों से सुनीता अवस्थी की कहानी 'कीमत' रांची से निकलने वाले अखबार 'प्रभात सन्देश' में प्रकाशित हो गई। कहानी पर दो-तीन प्रशंसा पत्र भी आये।

आज हेस्टी-टेस्टी बार एण्ड रेस्तरां में जश्न इसी सिलसिले में था।

राजेश अवस्थी ने टूर से लौट कर अखबार देखा। वह प्रसन्न हुआ, 'ऐसा करते हैं आज पार्टी रख लेते हैं, इससे गुरु-दक्षिणा भी चुकता हो जायेगी और मजा भी आयेगा।'

मैं अपनी भूमिका समझ रहा था। प्रत्यूष ने पहले ही मुझे फोन कर दिया था, 'अगर सुनीता की तस्वीर के साथ प्रेसनोट वगैरह तुम्हें अवस्थी दे तो ना करने की बेवकूफी मत करना। बल्कि लोकल पेज पर छाप देना यार। शाम की पार्टी के बदले बुरा नहीं है सौदा।'

मैंने कोई पक्का जवाब नहीं दिया था पर पार्टी में चला आया। राजेश मेरा भी परिचित था। मुझे वह भला मानस लगता था। वह और सुनीता मिल कर सुखी दाम्पत्य की तस्वीर बनाते। मैं जब-जब उन्हें देखता मेरा इरादा होता कि इस साल शादी जरूर कर लूँगा।

काफी गपशप, बधाई और मुबारकों के बीच शाम का अन्त हुआ। गुडनाइट, नमस्कार, फिर मिलेंगे के बीच हमने विदा ली।

राजेश और सुनीता अपनी कार में रवाना हो गए।

प्रत्यूष ने स्कूटर की किक लगाई और मुझसे कहा, 'चलो तुम्हें छोड़ दूँ।'

'तुम जाओ। मेरा ऑफिस नजदीक ही है, टहलते हुए पहुँच जाऊँगा।'

मैंने कहा और सिगरेट सुलगाने की तैयारी में लग गया।

तभी मुझे लगा जैसे मैं कुछ कागज कहीं गिरा आया हूँ।

मैंने जेबें देखीं। जेब में सुनीता अवस्थी का फोटो परिचय और प्रेसनोट नहीं था।

मैं वापस बार में घुसा।

अँधेरे के बीच अपनी मेज पहचानने में थोड़ी-सी दिक्कत आई।

पहले वेटर ने मुझे पहचाना।

'मेरे कुछ कागज यहाँ गिरे होंगे', मैंने कहा।

'कैसे कागज साब?'

'एक फोटो और दो-एक कागज।'

वेटर ने अपनी जेब से कुछ कागज निकाले और छोटा-सा फोटो वाला लिफाफा।

'यहाँ कोई चीज खोती नहीं साहब। आप नहीं आते तो हम ये कागज मोटे साहब और मेमसाब को दे देते।'

'कौन?'

'जो आपके साथ बैठे थे। वे हर हफ्ता आते यहाँ पर। यहाँ का बिल मेमसाब देती।'

'तुम किसी और की बात कर रहे हो।'

'नहीं साब, हम इनका ही बात करता। वह मोटे साब के साथ आतीं। दोनों कभी इधर में बैठते, कभी ऊपर के हॉल में जाते। कुछ तो भी लिखते रहते साब। इनका नाम तो मालूम नहीं लेकिन इधर में सब इनको मोटे साब और माया मेमसाब बोलते।'

मेरा सिर घूमने लगा।

'गुडनाइट सर', वेटर ने कहा। वह बख्शीश की उम्मीद खो चुका था।

मैं पैरों में वजन बाँध कर वहाँ से लौटने लगा। मुझे लगा चीजों के बीच कार्य-कारण सम्बन्ध समाप्त होता जा रहा है। मेरा सुरूर उतर रहा था।

ज़ोरदार तालियाँ

उत्सव खत्म हो गया था। मेहमान जा चुके थे। मुख्य अतिथि, विशिष्ट अतिथि, अध्यक्ष और मंत्री। उनके पीछे-पीछे ही दर्शक भी विदा हो गये थे। जाते-जाते सचिव ने घुड़क कर कहा था, 'ए.सी.', हैलोजन बन्द करो।'

आदेश का तुरन्त पालन किया गया था।

एक मद्धिम रोशनी वाली उदासी सभागार पर उतरने लगी थी। लल्लन ने एक नज़र हॉल पर डाली और एक अपने सूजे हुए टखनों पर। मंच पर और हॉल में फूलों की पंखुड़ियाँ जगह-जगह बिखरी हुई थीं। बीच की मेज़ पर उन मालाओं के ढेर थे जो महत्त्वपूर्ण मेहमान छोड़ गये थे। गोलार्द्ध में लगी कुर्सियाँ कुछ टेढ़ी-मेढ़ी रखी थीं। शुद्ध पानी की बोतलें इधर-उधर लुढ़की हुई थीं। लल्लन को यकायक बड़ी थकान महसूस हुई। सभागार को अभी साफ़ करना पड़ेगा। मैडम ने पहले ही बता दिया है कल सुबह आठ बजे हॉल भाड़े पर उठा हुआ है शोक सभा के लिए। उसने बिरजू धर्मेन्द्र और रामदास को टोका, 'फौरन सीटों की पोंछाई करो नहीं सवेरे मैडम गुर्रायेंगी।'

बिरजू ने हथेली पर खैनी मलते हुए कहा, 'करीत है, काहे जल्दियाने हो।'

धर्मेन्द्र ग्यारहवीं, फेल सही, उसकी चेतना काफी जागृत थी। चुनाव में नेताओं के आगे-पीछे काम करके वह कई किस्म की बातें करना सीख गया था। उसने कहा, 'एक बात है, इतना बड़ा जलसा

हुआ। अपने कॉलेज के, शहर के दूसरे कॉलेज के टीचर लोगों का सम्मान हुआ। भाइयो और बहनो, किसी ने भी हमें धन्यवाद क्यों नहीं दिया। हम छह रोज़ से मार दौड़-दौड़ हैरान हुई गये। धर्मेन्द्र माला लाओ, धर्मेन्द्र छुट्टा फूल क्यों नहीं लाये, धर्मेन्द्र ट्रे सजाओ, दीपाधार माँजो। कौनो गिनती है, हमसे कितना काम कराई हैं बड़ी गुरुजी!'

सभी को अपनी भागदौड़ याद आ गई। वाकई कॉलेज में पिछले एक हफ्ते से शिक्षक दिवस समारोह का चक्कर कुछ ऐसा चला था कि सारे चाकर चकरघिन्नी हो गये थे। कॉलेज के चालीस और बाहरी संस्थाओं के बीस शिक्षकों को आज महामहिम के हाथों सम्मानित किया गया था। सम्मान में उन्हें एक रेशमी अंगवस्त्र, एक प्रतीक चिह्न और एक फाइल भेंट की गयी। फाइल के अन्दर एक नोट पैड और एक कलम भी थी। पहले यह सोचा गया कि इस सब के साथ एक नारियल भी दिया जाय। लेकिन जब नारियल का मूल्य पाँच की जगह दस रुपये सुना गया, नारियल का देना खारिज कर दिया गया।

बिरजू ने अपनी आँखें कुछ देर ऊपर लगे शामियाने पर टिकाईं। फिर उसने मुँह ऊपर उठा कर कहा, 'एक बात हम देखे हैं, जौन टीचरों को सम्मान दिया है, वो मुँह लटका कर काहे आती रहीं। वो क्या कहते हैं सम्मान तो हँसते मुँह से लेना चाही।'

रामदास हँसा तो उसके टूटे दाँत की खाली जगह खटकी। बोला 'नगदी तो कुछ हइयै नहीं, छूछा सम्मान का करेंगी बहन जी लोग।'

लल्लन ने कहा, 'ज़्यादा नहीं तो सौ रुपये का शॉल ज़रूर रहा हुई हैं।'

बिरजू ने शॉल की खरीदारी में अहम भूमिका निभायी थी। वही दौड़ लगाता रहा था कॉलेज से कोठापार्चा तक। पहले ऊनी शॉल देने की बात थी पर अच्छे ऊनी शॉल की कीमत ऊँची थी।

ये रेशम की कढ़ाई वाले अंगवस्त्र थोक के दाम काफी सस्ते पड़े थे। बड़ी बहन जी ने बिल ऊनी शॉल का बनवा लिया था। इसी तरह से फाइलों की कीमत दुकान पर पचास रुपये पीस थी मगर बाइंडर को नमूना दिखा देने पर कुल चौबीस रुपये में फाइल तैयार हो गयी थी। प्रतीक चिह्न कॉलेज के स्टोर में रखे हुए थे। उन्हें सिर्फ पॉलिश से चमकाया गया था। इन तैयारियों में सिर्फ चपरासी, बाबू और सफाई कर्मचारी शामिल रहे थे। जिनका सम्मान करेंगे, उनसे काम कैसे लेंगे हम, बड़ी बहनजी ने इन लोगों को समझाया था।

असली मेहनत साफ़-सफाई में पड़ी थी। चारों ओर खुला मैदान होने से सभागार के अन्दर धूल बहुत जल्द बैठ जाती। यही हाल सीढ़ियों का था। लम्बे गलियारों में भी सफाई रखनी पड़ती। उत्सव के समय पिछली ठप्प पड़ी सफाई भी करनी पड़ जाती। हर रोशनदान से जाले निकालना, दरियाँ झाड़ना और जूट कार्पेट की गोट की मरम्मत करना ज़रूरी हो जाता। बिरजू ने खैनी का आनन्द लेते हुए कहा, 'हाँ इत्ते का तो रहा होगा। लल्लन ने कहा, 'अगर हर टीचर को एक-सौ एक नगद दे देते तो वे ज्यादा खुश होतीं।

रामदास ने समर्थन किया 'हाँ और क्या। इत्तन महँगाई में हाथ में कुछ नगदी आ जाय तो के न खुश होई, धर्मेन्द्र ने बागी तेवर अपनाया, 'नहीं असल बात ये है कि सारे साल बड़ी बहनजी तीता बोलती हैं। एक दिन इज्ज़त करने से क्या होता है जी!'

बिरजू ने दौड़-भाग के नाम पर दस-बीस रुपये अन्दर किये थे। वह नहीं चाहता था कि इस जलसे पर कोई सवाल उठे। उसने कहा, 'मान का तो पान भी बड़ी चीज़ होता है, फिर यह तो बाकायदा शॉल और फाइल है। फाइल भी छूछी नहीं है। उसमें पार्कर पेन रखा है, चाहे देख लो।'

लल्लन को कुछ याद आया। वह लपक कर विंग्ज़ में गया। वह एक फाइल और अंगवस्त्र ले आया। यह तय करना

मुश्किल था कि यह सेट किसी अनुपस्थित अध्यापक का था अथवा दिलजले का जो सम्मान-चिह्न यहीं पटक कर चला गया था। कर्मचारियों ने पहली बार ध्यान से, छू कर अंगवस्त्र को देखा। झकाझक सफ़ेद रेशम पर काही रंग की कढ़ाई थी। अंगवस्त्र इतना लम्बा-चौड़ा था कि उसमें से एक दीवान कवर या फिरन आसानी से निकल सकता।

धर्मेन्द्र ने कहा, 'गोली मारो जलसे को। असली जलसा हम अब करेंगे।'

फोटोग्राफर नदीम की ढूँढ मची। दो ही मिनट में नदीम बरामद हो गया। वह अभी गया नहीं था। अपनी मोपेड में किक मार रहा था जो स्टार्ट होने का नाम ही नहीं ले रही थी।

असली फूलों को मात देते नकली फूलों की मालायें अभी पीछे के पर्दे पर टँगी हुई थीं।

मंच पर पड़ी खाली कुर्सियों पर कर्मचारी आ कर बैठते जा रहे थे। चौकीदार और सफाईकर्मी ज़रा संकोच कर रहे थे, धर्मेन्द्र ने हाथ पकड़ कर उन्हें भी बैठा लिया, 'अरे बैठो यार, कुर्सी में काँटे नहीं लगे हैं, जो बैठ गया, कुर्सी उसके नाम की।'

धर्मेन्द्र ने बाकायदा माइक पर उद्घोषणा की, 'अब श्री बिरजू प्रसाद गुप्त श्री लल्लन प्रसाद को सम्मानित करेंगे। श्री लल्लन प्रसाद की विशेषता है ये झाड़ू बहुत अच्छी लगाते हैं। कोई ज़्यादा गड़बड़ी करे तो झाड़ू से मार भी गिराते हैं। आइये लल्लन प्रसाद जी।'

मंचासीन कर्मचारियों ने ज़ोरदार तालियों से लल्लन और बिरजू का स्वागत किया। बिरजू ने पूरी गम्भीरता से लल्लन के गले में अंगवस्त्र डाला और उसे फाइल भेंट की। नदीम ने यह दृश्य अपने कैमरे में कैद किया। इसके बाद विंग्ज़ में इसी अंगवस्त्र को तहा कर फिर ट्रे में रखा गया। वही फाइल उसके नीचे रख फिर वे सब तैयार हुए।

धर्मेन्द्र ने माइक पर कहा, 'अब तइयाजी का सम्मान भैय्याजी करेंगे, ज़ोरदार तालियाँ।

बहुत तालियाँ बजीं। तइयाजी उर्फ तिवारीजी बाईस साल से सुरक्षा कर्मचारी के पद पर कार्य कर रहे थे। कॉलेज बनने से पहले वे स्कूल के चौकीदार थे। जब कॉलेज बना उन्होंने सचिव से कहा, 'हजूर हमें कॉलेज में रख लें' सचिव ने होठ टेढ़ा करके कहा, 'आप खटिया पर बैठ कर चौकीदारी करते हो। कॉलेज की ड्यूटी में खड़ा रहना पड़ेगा।' तिवारी भइया जिन्हें प्राइमरी के बच्चे तइयाजी कहते थे, बोले 'ठाड़े रहेंगे हजूर।' सचिव ने पूछा 'बन्दूक चलाना जानते हो?' तिवारीजी निरुत्तर हो कर स्कूल की खटिया पर लौट गये। साल भर बाद फिर यह नाटक दोहराया गया। तइयाजी इसरार करें, सचिव इनकार। आखिरकार एक बार जब सचिव ने पूछा, 'बन्दूक चलाना सीख लिया कि नहीं?' तइयाजी ने आजिज़ आकर कहा, 'सब चलाना सीख लिया। बन्दूक क्या हम बम भी चलाना जानते हैं, कहिये तो कौनो दिन दिखायें।'

सचिव डर गये और तइयाजी की नियुक्ति कॉलेज में हो गई। तब से तइयाजी कर्मचारियों के हीरो बन गये।

भइयाजी कॉलेज में कैन्टीन चलाते थे और पैसे वाले समझे जाते थे। वे हर साल सचिव को नज़राना देकर ठेका उठाते थे और हर साल उन प्यालों का साइज़ छोटा होता जाता जिनमें वे छात्राओं को चाय पिलाते।

धर्मेन्द्र ने तिवारी के परिचय में कहा, 'तइयाजी कॉलेज की सुरक्षा इतनी कुशलता से करते हैं कि कई चोर-डाकू इनके खर्राटों से डर कर भाग गये।'

हँसी और तालियों के बीच भइयाजी ने तइयाजी के गले में अंगवस्त्र डाला और फाइल भेंट की।

सबको बारी-बारी से अलंकृत किया गया।

शकुन हॉल के आखिरी छोर पर सकुचायी हुई खड़ी थी।

धर्मेन्द्र ने घोषणा की, श्रीमती शकुन का सम्मान—उसने पलट कर साथियों से पूछा, 'कौन करेगा शकुन का सम्मान।'

'तुम करो, और के करिस।'

धर्मेन्द्र ने ट्रे अपने हाथ में ली और शकुन को डपटा, 'लपक कर आओ, जच्चा की तरह क्यों चल रही हो?'

शकुन उसी चाल से आधे रास्ते आ कर फिर खड़ी हो गई।

बड़ी हँसी चुहल रही।

नदीम फोटोग्राफर बोला, 'तुम्हारी फोटो रह जायेगी। जल्दी चलो।'

ननकी के समझाने पर बड़ी मुश्किल से वह स्टेज की सीढ़ियाँ चढ़ी। जैसे ही धर्मेन्द्र उसके गले में अंगवस्त्र डालने आगे बढ़ा, वह पीछे हट कर मुँह मोड़ कर खड़ी हो गयी। बिरजू ज़ोर से बोला, 'चोचले की हद हुई गयी। कौन तुम्हारी लगन हो रही है जो सरमाय रही हो।'

नदीम बड़बड़ाया, 'फिजूल एक घण्टा निकल गया। दुकान छोड़ कर आया हूँ।'

'जल्दी करो, जल्दी करो।' सबने शोर मचाया।

शकुन ने दाई के कान में कुछ कहा। दाई ने मुनादी की, 'शकुनिया कहत हैं, मरदन के हाथ से माला नहीं डलवइ हैं।'

धर्मेन्द्र ने भन्ना कर ट्रे पटक दी, 'हमें क्या, ना करो।'

अब भइयाजी बोले 'अरे ननकी तुम इनका सम्मान कर दो तनी।'

शकुन और ननकी ने आपस में एक दूसरे का सम्मान किया। भइयाजी माइक पर आये, 'अब हम अपने आयोजक श्री धर्मेन्द्र कुमार का सम्मान करते हैं।'

धर्मेन्द्र का मूड कुछ सँभला। वह नेता अन्दाज़ में आगे बढ़ा और अंगवस्त्र पहनते हुए उसने चेहरा कैमरे की तरफ़ कर लिया।

इसके साथ ही सम्मान समारोह खत्म हुआ। नदीम ने कैमरा पैकअप किया। सबको अपने हिस्से का काम निपटाने की हड़बड़ी मच गई।

एक पति की मौत

उसके हाथ में सागर पार से जूडिथ का भेजा तार था, 'नमन पास्ड अवे ट्यूजडे नवम्बर फोर एट थ्री ए.एम. कॉन्डोलेन्सेज।'

सिया उस समय नहा कर गुसलखाने से निकली थी। उसने सिर्फ पेटीकोट ब्लाउज पहना हुआ था। पैरों में स्लिपर्स भी गीली थीं। अंग-प्रत्यंग काँपने लगा, शायद ठण्ड से। डाकिया तार देकर हल्का-सा ठिठका, फिर वह चला गया।

इस तरह की खबर पाकर आम तौर पर कोई भी पत्नी चीख मार कर बेहोश हो जाती या अपना सिर दीवार से टकरा मारती। सिया ने ऐसा कुछ नहीं किया। उसने बिस्तर पर पड़ा पुराना शॉल उठा कर कन्धों पर लपेट लिया। जूम करती उसकी नजर समूचे घर-आँगन पर पड़ी और सामने की ड्रेसिंग टेबिल पर जम गई। हाँ, यह वही है—श्रीमती सिया मिश्रा जो इस घर में बाईस साल पहले नमन की वधू की तरह आई थी और परित्यक्ता की तरह रह रही थी, पिछले तेरह साल से।

इस वक्त उसे क्या करना चाहिए, वह सोच नहीं पा रही थी। साड़ी पहनते हुए उसे लगा, आज कम से कम कॉलेज तो वह न जाय। कोई सुनेगा तो क्या कहेगा! पर किसी को पता कैसे चलेगा? वह बतायेगी, तभी न। तो न बताय वह! क्या कहेगी वह, कि एक आदमी जो उसका पति था और उसे छोड़ गया था, आज दुनिया छोड़ कर चला गया। जिस तरह वह इस घर में मेज-कुर्सी, तख्त-तिपाई, पलंग-रजाई छोड़ गया, इस तरह उसे भी छोड़ गया था।

सिया को अपने कलेजे के पक्केपन पर हैरानी हुई। कम्बख्त वैसे बर्तन खड़कने से भी धड़-धड़ करने लगता है पर इस खबर को जैसे उसने सुना ही नहीं है। उसने आँखें छुई, वहाँ कोई गीलापन नहीं था। उलटे उसे लगा जैसे तनी हुई नसें ढीली हो रही हैं, पैर और हाथों की उँगलियों की गठिया की गिठानें धीरे-धीरे खुल रही हैं। उसके कानों में अपना ही कहा जुमला गुँजने लगा, 'किसी का आदमी मर जाय तो इत्ता दुख नहीं होता।' कॉलेज की उसकी कलीग्ज इस बात से हमेशा तिलमिला जाती थीं, 'कैसी औरत हो तुम, अपने आदमी की मौत मनाती हो!' सिया अपनी बड़ी-बड़ी आँखें फैला कर कहती, 'ना मैं सधवा ना मैं विधवा, जीते-जी मार गया वह मुझे!'

स्त्रियाँ मूर्खों की तरह उसके घर की चीजें छू-छूकर खुश होतीं, 'हाय रे तुम्हारे घर में तो हर चीज विदेशी है। कद्दूकस तक विलायती! कित्ती लकी है रे।'

'सिया तुम्हारा बाथरूम बड़ा शानदार है। कमोड तो ऐसा कहीं नहीं देखा। बिल्कुल राजा-महाराजा का सिंहासन लगता है। उठने का मन ही नहीं हो रहा था मेरा।'

सिया कुढ़ जाती, 'तो बैठी रहती उम्र भर!'

नमन को घर बनाने का क्रेज था। हर कमरा अलग रंग में सजाया गया था। वह किसी विदेशी पत्रिका से काट कर मकान के इन्टीरियर डेकोरेशन की तस्वीर भेज देता और फरनिशर के लिए हिदायतों का कैसेट। सिया कॉलेज से लौट कर सारा समय मकान की साज-सज्जा पर लगा देती। यह एक बिडम्बना ही थी कि जब मकान नमन की योजना के मुताबिक पूरा हुआ, नमन के जीवन से उसकी जरूरत ही खत्म हो गई। छुट्टियों में वह आया, शहर के सबसे सुन्दर होटल में ठहरा और एक शाम बाकायदा वकील को लेकर उससे मिलने आया। वकील ने उसके सामने तलाक के कागज रखे और छुटकारे की कीमत—नमन का यहाँ का पूरा बैंक

बैलेंस और यह विशालकाय मकान!

सिया ने नमन की तरफ देखा कि शायद वह उसकी तरफ नजर उठाये। नमन आत्मलिप्त-सा सिर्फ उन कागजों को देखता रहा जिन पर उसे हस्ताक्षर करने थे। उसकी आँखें इस घर आँगन पर नहीं उठीं जहाँ वह पैदा होकर जवान हुआ; उसके कानों ने चिड़ियों की चह-चह नहीं सुनी जो उस शाम भी आम के पेड़ पर शोर मचा रही थीं। वह बड़े बेमन से सोफे पर बैठा रहा जैसे वह किसी और का घर हो और सिया किसी और की घरवाली।

सिया के मन में नफरत और हिकारत की नीली-पीली लपट उठी। उसने कागज खींच कर दस्तखत कर दिये।

यह तो उसे बाद में ही पता चला कि लन्दन में नमन लड़के-लड़कियों को हिन्दी भाषा पढ़ाते-पढ़ाते प्यार की भाषा भी पढ़ा चुका था। उसी से पढ़ने वाली लड़की थी जूडिथ जिसकी माँ मैक्सिकन थी और पिता अंग्रेज। वह नमन से दस साल छोटी थी हालाँकि कद में दो अंगुल ऊँची। उसके बाल सुनहरे थे, आँखें नीली और चमड़ी गोरी। वक्ती क्रेज के मुताबिक उसे हर ब्राउन चीज अच्छी लगती थी, ब्राउन ब्रेड, ब्राउन कार, ब्राउन मर्द।

गली-गली होते कॉलेज का रास्ता ज्यादा लम्बा नहीं था। सिया रोज की तरह पैदल आगे चलती रही पर स्मृतियाँ उसे वर्षों पीछे घसीटती रहीं। सम्बन्ध तो नमन ने तोड़ दिया था, माचिस की तीली की तरह दो टूक, पर उस पर अपना कब्जा कहाँ छोड़ा था। वह बार-बार उस कीमत की याद दिलाता जो उसने तलाक की खातिर अदा की थी। कभी वह उसे अपने परिवार की प्रतिष्ठा समझाता। पिछले तीन सालों से उनकी बेटी तृप्ति ससुराल में थी और माँजी स्वर्ग में लेकिन उससे पहले ये दोनों सिया की पहरेदारी पर तैनात थीं। तृप्ति तो बाकायदा उससे जवाब-तलब करती, 'कॉलेज में चार बजे छुट्टी हुई, आप छह बजे घर आ रही हैं माँ!' उसने स्कूल के पास के चाय वाले, पान वाले को बीस रुपये महीने

देने शुरू कर दिये थे कि वे माँ के आने जाने का समय नोट कर लिया करें। फिर एक दिन तृप्ति ने दफ्ती के एक टुकड़े पर अपने हाथ से लिख कर एक तख्ती घर के दरवाजे पर लटका दी 'यहाँ पुरुषों का प्रवेश वर्जित है।' उन दिनों को याद कर सिया के होठ बिचक गये। लड़की का पालन-पोषण पिता ने कैसेट पर किया था। उन पत्र-कैसेट्स में सब कुछ रहता, पढ़ाई के लिए निर्देश, नवीनतम फैशन की सूचना, खर्च की तमीज और सिया के लिए आचार-संहिता। जब तक तृप्ति की शादी नहीं हुई वह सिया की संरक्षक बनी रही। इस काम में माँजी का भी खूँखार सहयोग रहा। नौबत यहाँ तक आ गयी कि अगर कभी कॉलेज का चपरासी भी किसी काम से घर आया तो दादी-पोती ने जुगलबन्दी में चीख-चीख कर घर सिर पर उठा लिया। बहू की शुचिता की जाँच-पड़ताल के तहत माँजी कभी सिया का पर्स खखोरतीं, कभी किताबें पलटतीं और कभी उसका मैला पेटीकोट सूँघतीं। ऐसे एक मौके पर सिया चीख पड़ी थी, 'हमारी चौकीदारी करने की कोई जरूरत नहीं है, समझीं। अरे जब हमारा आदमी हमें छोड़ गया तो हम जैसे चाहे रहें, जहाँ मर्जी जायें-आयें, चाहे गली के काले कुत्ते के साथ सोयें, तुमको क्या?' माँजी ने इस विस्फोट के प्रतिकार में उसे बेटी के हाथों पिटवाया था। एक बार तृप्ति का हाथ उठ गया, फिर तो वह उसे अक्सर मारने लगी। उन्हीं दिनों सिया ने बिन्दी और सिन्दूर लगाना छोड़ दिया। नौकरी का बन्धन न होता तो वह घर भी छोड़ देती पर उसका विवेक उसे समझाता रहा, 'ये दोनों तो चार दिनों की हैं, उसके बाद एक जायेगी स्वर्ग तो दूसरी ससुराल। तुम अपना घर क्यों छोड़ो?' उसका सूना चेहरा देख कर सास ने बहुतेरा शोर मचाया, 'सुहागनों को सूनी माँग नहीं सोहती। तेरा सोने जैसा आदमी सात समुन्दर पार बैठा है, दिन-रात उसकी खैर मना, यही तेरा फर्ज है?' सिया ने कहा, 'ना मैं सधवा ना मैं विधवा, फिर एक कर्मकाण्डी सुहागन की तरह क्यों सिंगार का स्वाँग भरूँ। प्यासी

रहूँ, उपासी रहूँ किसके लिए! जो मेरा जनम बिगाड़ गया? तुम्हारा वह बेटा है, तृप्ति का बाप है पर मेरा तो कुछ नहीं रहा।'

माँजी ने घर के फालतू गद्दे-रजाई सिया के डबलबेड पर एक तरफ रख दिये थे उतरती सर्दियों में एक बार। उन्हें एक पुरानी चादर से ढक दिया गया। रातों में जब सिया उनकी बगल में सोती उसे लगता वह नमन की कब्र के पास लेटी है। मुहल्ले में सुने मर्सियों की तर्ज पर उसके दिमाग में कुछ असम्बद्ध शब्द टक्कर मारते रहते, 'मैं तुम्हारी कर्बला, तुम मेरे कब्रिस्तान।' कभी हवा से चादर फड़फड़ाती और सिया को लगता मानो अभी इस कब्र में से नमन का भूत निकल कर उसकी ओर बढ़ेगा। वह घबरा कर अपना तकिया-कम्बल लेकर दीवान पर आ जाती। उसका दिल तेज-तेज धड़कता मगर उसे लगता यह दिल नहीं दीवान धड़क रहा है। धीरे-धीरे दीवान एक जलयान बन जाता, उसे सात समुन्दर पार ले जाने के लिए।

तलाक की तिलमिलाहट भरे इन तेरह वर्षों में एक दुःस्वप्न सिया ने बार-बार देखा था। वह यकायक लन्दन में उस पते पर पहुँच गयी है जहाँ नमन रहता है। वह कॉलबेल बजाती है। एक सुन्दर गोरी मेम दरवाजा खोलती है, उसे देखती है और अन्दर की ओर मुड़ कर पति से पूछती है, 'डार्लिंग क्या तुमने इण्डिया से डिश वॉशिंग के लिए मेड बुलायी है?' लाउंज में दो सुन्दर बच्चे खिलौनों से खेल रहे हैं। नमन उसकी तरफ अनजान नजरों से देखते हुए कहता है, 'नहीं तो, लगता है, कोई गलत पते पर आ गया है।' भड़ाक दरवाजा बन्द होता और सिया का दुःस्वप्न भी फुलस्टॉप पर आ जाता। कभी-कभी नमन की कोई मीठी याद उसे आ जाती और वह मतवाली हो जाती। एक आदमी कितनी तरह की गन्धों का गुलदस्ता होता है, सूखी, गीली, भीनी, तीती। सिया को अपने शरीर से वह गन्ध निकलती जान पड़ती। कभी उसे नमन की आवाज सुनायी देती, वह बौरा जाती। नमन की बोलने की शैली

बहुत आकर्षक थी। वह अस्फुट स्वर में रुक-रुक कर बोलता। उसके विराम-चिह्न ऐसे बिन्दु पर पड़ते कि सुनने वाले की उत्कण्ठा बनी रहती। खराब से खराब बात वह इसी मोहक अन्दाज़ में करता। रात-बिरात सिया कैसेट प्लेयर चला देती, कुछ देर सुनती फिर जहाँ उसके बारे में आक्षेप शुरू हो जाते वह प्लेयर बन्द कर देती।

कॉलेज में मिसेज चोपड़ा ने उसे देखते ही टोका, 'यह कैसी उड़ी-उड़ी रंगत बना रखी है सिया, हजार बार समझाया है कि सर्दी के मौसम में गहरे रंग के कपड़े और गहरा मेकअप जरूरी है। मिसेज़ चोपड़ा खुद बड़े चटक कपड़े पहनती थी और अक्सर स्टाफरूम में उन्हें लिपस्टिक लगाते देखा जाता था।

सिया उन्हें तार की बात बताते-बताते रुक गयी। किसके बारे में बताये, जूडिथ के पति के बारे में या अपने? सिया से क्लास ठीक से नहीं ली गई। लड़कियाँ गलत-सलत स्वर निकालती रहीं, उसने उन्हें टोका नहीं।

किसी तरह दिन तमाम हुआ और वह घर की तरफ चल दी। फाटक तक पहुँच कर उसकी इच्छा अन्दर घुसने की नहीं हुई। वह थोड़ी दूर पर रह रही अपनी परिचित नियति माथुर के यहाँ चली गई।

उसी समय नियति के बच्चे स्कूल से लौटै थे। हालाँकि उसने बच्चों के साथ-साथ सिया पर भी पूरा ध्यान दिया, उसका मन उचाट हो गया। वह सोचती रही नियति को बताये, न बताये। यह उसकी अपनी त्रासदी थी। उसे क्या अधिकार है दूसरे पर इसे जाहिर करे, एक हँसता हुआ माहौल बोझिल बनाये! नियति ने घड़ी की तरफ देखा। उसके पति का दफ्तर से वापस आने का वक्त हो रहा था। सिया उठ दी। नियति ने दो-चार बार उससे बैठने का आग्रह किया लेकिन सिया रुकी नहीं।

उस रात गैस जलाने की, खाना बनाने की इच्छा नहीं हुई।

तार पर लिखे शब्द बार-बार पढ़े। कई प्रश्न मन में उठे। क्या वह बीमार था या दिल का मरीज! दुर्घटना की चपेट में तो नहीं आया? कितना अजीब होता है एक आदमी को उसकी सारी कारगुजारियों के बीच जानना और उसके अन्त का समाचार सुनना। इसका मतलब उसने जूडिथ को उसके विषय में बतला रखा था। उसने अपना घर, पता और अतीत, कुछ छुपा कर नहीं रखा था। फिर उसे अपने ऊपर हँसी आयी। तृप्ति वहीं रहती है, पास ही, रगबी में। जूडिथ क्या जानती न होगी। बल्कि दोनों की मुलाकात भी होगी।

सिया ने सोचा था आज वह भर-नींद सोयेगी, लेकिन नींद आँख तो क्या बिस्तर तक भी नहीं आयी। वहाँ करवट-करवट नमन खड़ा था : कभी हँसता, कभी बिगड़ता, कभी बिस्तर पर, कभी बाथरूम में, कभी बालकनी पर। जैसे नौ के नौ साल उस एक रात में साकार हो गये। सिया को फिर वही गन्ध महसूस हुई जो नमन के सान्निध्य में आया करती थी, कानों में उसका अस्फुट स्वर सुनायी दिया। उसे लगा उससे बिल्कुल सट कर नमन कह रहा है, 'पास खिसको, ऐसे। बस ऐसे सोया करो।'

उसे उन दिनों की अपनी अनिच्छा भी याद आई। परिवार की दिनचर्या ने उसके जिस्म के कई हिस्से बर्फ बना दिये थे। जिन क्षणों में नमन को एक उत्कट प्रिया की सख्त जरूरत थी, उसे मिली एक थकी, पिसी, झुँझलाई औरत। इन्हीं क्षणों में नमन ने उसे पाया और उसने नमन को खोया था। कभी आलस में, कभी थकान में, कभी संकोच में, उसने सुना नमन कह रहा है, 'कपड़े उतार दो प्लीज। नहीं तो ऐसा लगता है हम नहीं, हमारे कपड़े प्रेम कर रहे हैं, पाजामा पेटीकोट से, बनियान ब्लाउज से। मैं तुम्हें तुम्हारी त्वचा के आर-पार तक प्यार करूँगा।' सिया ने कभी नमन का इसरार नहीं माना। वह हर रात अपना पूरा यूनिफॉर्म धारण किये रही। ऐसी ही ज़िद भरी अँधेरी रातों में उसकी नाव मझधार में पहुँच गई। करवट-करवट सिया को पति की प्रियता याद आती

गई। उसे बिल्कुल याद नहीं कब सोने-जागने के बीच वह निर्वस्त्र हुई कब रजाई उसका रंगमहल बनी, कब वह शिखर पर पहुँची और कब एक क्लान्त नींद में डूब गई। जाने कितने दिनों बाद वह यों सोई थी, एक मदभरी बेहोश नींद।

सुबह एक झटके के साथ वह जागी। महरी और दूध वाला दोनों तकरीबन एक साथ ही आ गये थे। उनके घण्टी बजाने पर उसने दरवाजा खोला और भर्राई आवाज में कहा, 'आज हमें ना दूध चाही ना मदद, हमार मालिक खतम हुई गये रे।' दोनों इस घर में वर्षों से लगे थे। उनके चेहरे दुख से सिकुड़ गये। लड़खड़ाते हुए सिया ने दरवाजा थामा और भरपूर चीत्कार के साथ वह विलाप कर उठी।

आम के पेड़ पर आज भी चिड़ियाँ चहचह कर रही थीं लेकिन सिया को कुछ सुनाई नहीं दिया। पड़ोस के घरों से धीरे-धीरे स्त्रियाँ आकर आँगन में इकट्ठी हो गई। आज इस घर का मालिक दिवंगत हुआ था।

छोटे खिलाड़ी

मई का महीना। यानी बैसाख। दिल्ली की सड़कों पर पीली आँधी चल रही है।

टीका लगवाने का निर्धारित समय है दोपहर दो से चार।

उन्हें येलो फीवर का टीका लगवाना है।

होटल के ठण्डे कमरे से निकलने की इच्छा नहीं हो रही। पर जाना तो पड़ेगा।

दिल्ली नगर निगम के अन्तर्राष्ट्रीय टीका केन्द्र पर पहुँचना है म न्दिर मार्ग पर।

लू और धूल के थपेड़े झेलते हुए वे गंतव्य पर पहुँचे। बेचैन युवा कलाकार मुकेश, अरण्य सिंह और अपर्णा।

अभी थोड़ी देर पहले खाने के समय मुकेश ने अपनी जैकेट की दोनों जेबें पलट कर दिखा दी थीं 'चन्द टूटे हुए सपनों के सिवा मेरे पास कुछ भी नहीं, कोई नहीं।'

यह सुनते ही अरण्य और अपर्णा पर उसके संरक्षण का नशा तारी हो गया। उसे साथ लेकर वे रवाना हो गये।

उनका निवेदन सुनते ही प्रभारी डॉक्टर ने गर्दन दायें-बायें हिलायी। 'नहीं लग सकता, बिल्कुल नहीं, वापस जाइये।'

उन तीनों ने एक साथ अपने नियमों और दस्तावेजों का वज्र उसके ऊपर गिराया।

'ये देखिये विदेश मन्त्रालय का यह पत्र, यह हमारा पासपोर्ट और यह निर्देश पुस्तिका।'

डॉक्टर कुछ नहीं देखता। वह एक रजिस्टर देखने लगता है। तभी उसका फोन बजता है। वह 'हलो, हलो' कहता है। कोई जवाब न मिलने पर अपना मोबाइल खोल कर चिप को रूमाल से रगड़ने लगता है। उसके पास दो कर्मचारी खड़े हैं। वे डॉक्टर के समर्थन में उन्हें तखलिया का इशारा करते हैं।

'शनिवार को आइये', वे कहते हैं।

'ऐसा कैसे हो सकता है। हमें तो आज वापस जाना है, टिकटें ले रखी हैं।'

'कितने लोग हैं आप?'

'तीन।' वे तीनों के ऊपर उँगली रखते हैं।

'देखिये हमें ऑर्डर है, जब तक पाँच मरीज़ इकट्ठे न हो जायँ, तब तक वैक्सीन बाहर न निकाला जाय। एक साथ पाँच को लगाने वाली शीशी है हमारे यहाँ।'

'मरीज़ को इन बातों से क्या मतलब?'

'बिल्कुल है, बल्कि होना चाहिए। जाइये, दो और मरीज़ लेकर आइये।'

'हम तो यहाँ किसी को जानते तक नहीं, किसको लायेंगे।'

'तब शनिवार को आइये।'

आज बुधवार है। वे मन ही मन हिसाब लगाते हैं। तीन दिन और ठहरने का मतलब है होटल का किराया तीन हज़ार, वाहन, भोजन कम से कम दो हज़ार यानी पूरे पाँच हज़ार का खर्च। रेल-टिकटों की वापसी में भी कुछ चोट लगनी है। उन्हें अपने पर गुस्सा भी आ रहा है। अच्छे-भले अपने शहर के एक कोने में बैठे थे, कहानी-उपन्यास लिखते। क्या ज़रूरत थी हिन्दी सम्मेलन के बुलावे को इतनी गम्भीरता से लेने की। घूमने की ललक उठी कि हिन्दी की हुड़क, नीयत उनकी भी नीक नहीं थी। वे भली-भाँति जानते थे कि यहाँ से उड़कर सूरिनाम जाकर हाय-हाय हिन्दी चिल्लाने से हिन्दी का कोई कल्याण नहीं होगा। हिन्दी को अभी

तक भारतवासी अपने ही देश में राष्ट्रभाषा घोषित नहीं करवा पाये तो विश्वभाषा किस दम पर बनवायेंगे। पर नहीं, दक्षिण अमेरिका घूमने का मौका कब-कब मिलता है, सोच कर लपक लिया और अब दिल्ली की धूल, धूप, गर्मी और लू के थपेड़े झेल रहे हैं। सूरिनाम जाने के लिए येलो फीवर का टीका लगवाना अनिवार्य है। इसीलिए तो इन धूर्त डॉक्टर और कम्पाउंडरों के चंगुल में फँसे हैं जो इस वक्त अपनी उँगलियाँ चटकाते हुए उठने की मुद्रा में हैं।

तीनों लेखक कुछ आज़िजी से कहते हैं, 'देखिये सैकड़ों लेखकों को सूरिनाम जाना है। आप वैक्सीन निकाल कर हमें टीका लगा दीजिये, जल्दी ही और लेखक आ जायेंगे, आपकी दवा काम आ जायेगी।'

'ऐसे कैसे कायदा तोड़ दें जी। खुलते ही शीशी बेकार हो जाती है। हम मरीजों की जिन्दगी से खिलवाड़ नहीं कर सकते।'

इस बहानेबाजी में तीन बज जाते हैं।

वे चारों तरफ़ नज़र डालते हैं। चार-पाँच बड़े-बड़े कमरों का टीकाकरण केन्द्र है यह। हर कमरे में एक तरफ़ डॉक्टर की कुर्सी लगी है जो खाली पड़ी है। लगता है नगर निगम में लंच टाइम लम्बा चलता है।

वे एक और कोशिश करते हैं,

'देखिये अगर घण्टे भर में दो मरीज़ और आ गये तो आप टीका लगा देंगे?'

'बिल्कुल, हमें क्या तकलीफ है? तब तक आप अतिथि-कक्ष में बैठ कर आराम फरमाइये। बैठिये, गप्प लड़ाइये, ठण्डा पानी पीजिये पर हमें नियम तोड़ने पर मजबूर मत कीजिये।'

अपर्णा कहती हैं, 'ये नियम इतने अजीब क्यों हैं और अगर ऐसे ही हैं तो इनकी जानकारी निर्देश-पुस्तिका में क्यों नहीं है।' डॉक्टर उठ कर चल देता है। कर्मचारी जवाब देता है, 'देखिये हर टीके का अलग नियम है। फिर जिन्हें मुफ्त टीके लगवाने होते हैं,

वे लोग तसल्ली से आते हैं।'

अन्य कमरों की तरह इस कमरें में भी सन्नाटा हो जाता है। लेखक अपनी गुज़ारिश सरकार की जगह भगवान से करने लगते हैं, 'हे भगवान दो लेखक और भेज दो जिन्हें येलो फीवर का ही टीका लगवाना हो।'

धड़कते दिल से वे अतिथि-कक्ष में चले जाते हैं। वहाँ का फ़र्श जगमगा रहा है। इतना सफेद संगमरमर ताजमहल का भी नहीं है। अपर्णा की नज़र अपनी धूल सनी, बदरंग बाटा की चप्पलों पर पड़ती है और वह मन ही मन फर्श के नाम एक क्षमा-याचना प्रसारित करती है।

फर्श ऐसा चमक रहा है कि तीनों के अक्स उस पर झिलमिला रहे हैं। अपर्णा छत की तरफ़ देखती है। कहाँ से आ रही है यह चाँदनी।

छत पर उतना ही साफ सफेद रोग़न है।

कमरे में दो ए.सी. लगे हैं।

दो कर्मचारी बगल के सोफे पर बैठ जाते हैं, बल्कि पसर जाते हैं।

'कहाँ से आये हैं?' एक हमदर्दी से पूछता है।

'इलाहाबाद से।'

'बड़ी दूर है। कब वापस जाना है?'

'अरे आज ही। साढ़े नौ बजे की गाड़ी है।'

दूसरा कर्मचारी थोड़ा सक्रिय होता है, 'बड़े सख्त हैं डॉक्टर साब। सवेरे हरवंश सिन्हा का फोन आया था। वह अपने मन्त्रीजी। उन्हें भी यही लगवाना था—येलो फीवर का टीका। डॉक्टर साब ने साफ मना कर दिया।'

'क्यों?'

'वही बात। पाँच मरीज़ इकट्ठे हुए बगैर टीका नहीं खोलते।'

'हरवंश सिन्हा क्या बोले?'

'क्या बोलते, फोन रख दिया। येलो फीवर की बात है।

मलेरिया-उलेरिया का तो किसी को लगवा दें पर येलो फीवर वाला कहाँ मिलेगा?'

मुकेश को तैश आ जाता है। वह पैर पटक कर कहता है, 'टु हैल विद हिन्दी कॉन्फरेन्स लैट्स गो बैक।'

एक कर्मचारी उसे मुस्कुरा कर देखता है, 'झल्लाने की कौन बात है जी। आप तीन लोग हो। खाली दो की तो बात है न।'

लेखक चकराते हैं। फाटक की ओर अपने चश्मे घुमाते हैं। शायद इन्हें दो लोग आते दिख रहे हों।

'ऐसा है, आप पाँच की फीस जमा कर दो, मैं डॉक्टर साब को समझा देता हूँ।'

टीकाकरण की फीस प्रति व्यक्ति डेढ़ सौ रुपये है। उन्हें सीधे-सीधे तीन सौ रुपये ज्यादा देने होंगे। मामला साढ़े चार सौ से साढ़े सात सौ पर पहुँच रहा है। अरण्य तो इस झमेले में से भाग निकलने का रास्ता ढूँढ ही रहे हैं। वे कहते हैं 'हटाओ, जाना कैंसिल करते हैं। वैसे भी चार बजने वाले हैं।'

अपर्णा भी प्रतिध्वनि बनती है 'डॉक्टर भी अपनी जगह पर नहीं है।'

'पर अब तो चार बज गये।'

'सौ रुपया और भर दीजिए। कागज पर 3.50 लिख देते हैं।'

यहाँ आकर जान ऐसे फँसी है जैसे उँगली में बाँस की फाँस। जाना कैंसिल करते हैं तो इन तीनों के इरादों का जो होगा, दोस्तों के दिल ज्यादा टूट जायेंगे। एक बार फिर वे लानतें भेजेंगे और इन्हें आलसी, बहानेबाज और लबड़धौंधौं ठहरायेंगे।

मुकेश में धैर्य नहीं है।

'बताइये, क्या करना है?'

अरण्य अपने आप से अन्दर ही अन्दर लड़-भिड़ रहे हैं। अपर्णा के अन्दर धैर्य कहाँ! पट से बोल पड़ती है, 'रिश्वत तो हमने कभी न दी न देंगे।'

वह कर्मचारी तड़प कर बीच में आ टपकता है 'बहनजी यह रिश्वत नहीं है। यह तो नियम की भरपायी है। नियम भी बचा रहे और आपका काम भी हो जाये।'

जैसे-तैसे रुपये निकाल कर उसे दिये जाते हैं।

कर्मचारी मुस्तैद हो उठता है।

मुकेश से कहता है, 'आप बाहर जाकर यादव मेडिकल स्टोर से तीन डिस्पोवैन सुई लेते आइये।'

मुकेश बाहर लपकता है।

कर्मचारी दोनों को लेकर दवाखाने में आ जाता है। जैसे कोई विद्युत तरंग सबको संचालित किये दे रही है, डॉक्टर अपने परामर्श-कक्ष में बैठ गया है। नर्स फ्रीजर से गुलाबी रंग की शीशी निकाल रही है। कर्मचारी लम्बे पीले काग़ज़ों पर टीकाकरण-केन्द्र के ठप्पे लगा रहा है।

'टीके के बाद बुखार आयेगा।' अपर्णा डरती है।

'बिल्कुल नहीं, पता भी नहीं चलेगा। बस जैसे चींटी काटती है, ऐसा लगेगा।'

नर्स का स्पर्श बड़ा हल्का और नरम है। मुकेश सुई लगवाकर बहादुरी से कहता है 'अरे कुछ हुआ ही नहीं।'

अरण्य भी लगवा लेते हैं।

अपर्णा अभी भी बिदक रही है।

अतिथि कक्ष वाला कर्मचारी आकर अरण्य से कहता है, 'ये बहुत डरती हैं सुई लगने से।'

'अरे आप तीन सौ और जमा कर दें, हम ऐसे हो इन्हें पीला काग़ज़ दे देंगे। अब आपका काम तो निपटना चाहिए न।'

अरण्य सख्ती से एक बार अपर्णा को देखते हैं, एक बार कर्मचारी को

वह तो नहीं डरता। अपर्णा ही डर जाती है।

डरते-डरते बाँह आगे कर देती है।

नर्स वाकई सिद्धहस्त है। सुई लगने में न दर्द होता है न आह निकलती है।

वाह कितना दिव्य जीवन है। वे समय पर प्रयागराज एक्सप्रेस पकड़ लेते हैं। स्टेशन आते समय न टैक्सी वाले से झड़प होती है न कुली से। एकदम कायदे से गाड़ी में बैठ जाते हैं। रात में चैन की नींद सोते हैं। सुबह, अपना शहर।

तीन दिन बाद लौटे हैं। पर महसूस हो रहा है जैसे तीन महीने लगे हों। वे घर की एक-एक चीज छू कर देखते हैं। 'ये पौधे सूखे क्यों पड़े हैं? क्या पाइप चोरी हो गया?'

'पेपर वाले ने स्टेट्समैन और जागरण कैसे शुरू कर दिये। हमसे पूछना तो चाहिए।'

बेटा घर को वापस पटरी पर लाने के लिए सब झमेलों में फँसता रहा।

घर सँवारने के बाद किताबें सँभाली, विश्व सम्मेलन में पढ़ा जाने वाला आलेख तैयार किया कि लो हफ्ता तो बीत ही गया। जाने के दिन आ गये। एक बार फिर सूटकेस में कपड़े जमाने का कार्यक्रम शुरू हुआ कि आ पहुँचा आयोजक परिषद् का पत्र। पत्र का सूत्र-वाक्य यह था कि प्रतिनिधियों की बड़ी संख्या और धन की सीमा के कारण उन दोनों में से एक का व्यय-भार परिषद् उठायेगी और दूसरा अपने लिए प्रायोजक ढूँढे। इस चिट्ठी की लटपट भाषा और अटपटा आशय समझने के साथ ही अपर्णा अपनी असल दुनिया में लौट आयी। उसने सूटकेस से अपने कपड़े निकाल कर अरण्य के कपड़े उसमें जमा दिये। आयोजक को उसने लिखा 'मैं टूथपेस्ट, शैम्पू या क्रीम नहीं हूँ जिसका प्रायोजक मिल जाय।'

भला एक लेखक अपना प्रायोजक कहाँ से लाये। होती वह पान मसाला, साबुन, जूता या मच्छरमार मलहम, उसका प्रायोजक मिल जाता। लेखन और लेखक का क्या तो माल और क्या उसकी

मण्डी। वर्कशाप में पड़े हैं कुछ अधूरे उपन्यास, कच्ची-पक्की कहानियाँ और ढेर-सा हिन्दी प्रेम। इनमें से एक भी चीज़ मण्डी में ले जाने लायक नहीं। मण्डी में वही माल उतरेगा जिसमें दस रुपये लगा कर पचास रुपये लौटें।

ज्यादा देर अफसोस कायम नहीं रहा। अपर्णा बहुत जल्द छुट्टी के मूड में आ गयी। दो-तीन अखबार पढ़े, दो प्याले चाय पी और टीवी के आगे एक दिनी क्रिकेट मैच देखने को जम गयी। अपने ठण्डे कमरे में नरम बिस्तर पर पड़े-पड़े क्रिकेट के छक्के-चौके ऐसी तरंग दे रहे थे जैसे सचिन, राहुल नहीं, वह ही है बल्लेबाज। टीवी पर मैच को इतना जानदार बना दिया जाता है। याद आये इन्दौर के वे दिन जब सब दोस्त क्रिकेट का सजीव मैच देखते थे। आधे समय तो समझ ही नहीं आता था पिच पर क्या हो रहा है। ऊपर से कड़ी धूप और प्यास की मार। अब कितना चैन है। कोई अच्छा शॉट लगा कि कैमरा छह कोणों से उसे दिखायेगा।

हंगामे की तरह अचानक लखनऊ से श्रावणी और मुकुल पधार गये। गर्मी में ड्राइव करके दो सौ मील तय करने में दोनों के चेहरे बन्दर की तरह लाल हो रहे थे।

'देखा, पति को परदेस भेज कर ऐश की जा रही है। नहायी भी नहीं है क्या?'

'नहाते ही छुट्टी नष्ट हो जाती है।'

'खट।' मुकुल ने टीवी बन्द किया।

'मैं मेच देख रही हूँ', अपर्णा ने ऐतराज़ किया।

'हमारे जाने के बाद देखना। मैच क्या, तुम विज्ञापन देख रही हो। एक-एक शॉट के इतने प्रायोजक।'

अपर्णा ने टीवी फिर चला दिया और आवाज गायब कर दी। अब दृश्य थे, गति थी बस, आवाज़ नहीं थी। खिलाड़ी खेल रहे थे उनके साथ-साथ सिगरेट, शराब, पान मसाला, कंडोम, बिस्किट और शीतल पेय भी खेल रहे थे। नहीं ये खेल रहे थे, वे खिला रहे थे।

रशीदा को देख कर मुकुल ने कहा, 'तुम तो क्रिकेट मैच नहीं देख रही हो, कुछ खिलाओ, चाय पिलाओ तो पता चले अपने दोस्त के घर आये हैं।'

फिर मुकुल ने अपर्णा की तरफ़ मुड़कर कहा, 'पता है कल कॉलेज में क्या हुआ?'

'क्या हुआ, क्या हुआ?' अपर्णा और श्रावणी की भावभंगिमा ने पूछा।

'डॉ. दास की क्लास में न जाने कहाँ से एक मरगिल्ला कुत्ता घुस गया। वे उस उक्त मिल्टन के पैराडाइज लॉस्ट के महत्त्व पर व्याख्यान दे रहे थे। तुम्हें पता है दास साहब बीस बरस ऑक्सफोर्ड में रह कर लौटे हैं। कितने हाईक्लास आदमी हैं वे।'

'आगे जल्दी बोलो क्या हुआ।?'

पहले तो कुत्ता इधर-उधर घूमता रहा, फिर उसने भौंकना शुरू कर दिया। डॉ. दास ने कहा, 'रे यू डॉगी गो अवे विल यू।' कुत्ते पर कोई असर नहीं हुआ। वह वैसे ही भौंकता रहा।

एक लड़के ने कहा, 'सर कुत्ते को अंग्रेजी नहीं आती।'

डॉ. दास ने कहा, 'यू आर राइट। कुत्तों को अंग्रेजी नहीं आती।'

सारी क्लास हँस पड़ी। तभी सामने की बेंच से एक लड़का उठा और उसने अपना रजिस्टर फेंक कर कुत्ते पर वार किया। कुत्ता भाग खड़ा हुआ।

असली ड्रामा तो क्लास के बाद हुआ। डॉ. दास के चले जाने के बाद लड़कों में इस बात पर बहस छिड़ गयी कि डॉ. दास ने कुत्ते शब्द का बहुवचन क्यों इस्तेमाल किया।

कुछ हिन्दी वाले लड़के गुस्से में आ गये, 'हमको खूब पता है उन्होंने किसके लिए कहा।'

बाकी लड़के उन्हें तसल्ली देने लगे पर हिन्दी वाले उखड़ गये, 'डॉ. दास हमेशा अंग्रेज की तरह सोचते हैं, वे अंग्रेजी क्या पढ़ाते हैं

अपने को अंग्रेज की औलाद समझते हैं। वे क्या अपनी चमड़ी का रंग नहीं पहचानते?'

अरे बात ही बात में मामला इतना भड़क गया कि कॉलेज में दास साहब के विरुद्ध आन्दोलन छिड़ गया। सब लड़कों ने तय किया कि इंगलिश की कक्षाओं में कोई नहीं जायेगा।'

श्रावणी बोली 'कब तक चलेगा बहिष्कार? आखिर इम्तहान भी तो सिर पर हैं।'

अपर्णा ने कहा, 'डॉ. दास ने हरकत तो बहुत गन्दी की। जब तक वे माफी नहीं माँगेंगे, हड़ताल चलनी चाहिए।'

'तुम भी आखिर हो एकदम हिन्दी वाली। बात-बात में तुनक जाना। इज्ज़त को नाक की नोक पर लेकर बैठे रहते हो तुम लोग। मज़ाक को मज़ाक की तरह लेना चाहिए था।

'इसे मज़ाक नहीं मज़ाक उड़ाना कहते हैं' अपर्णा ने कहा।

'अच्छा मारो गोली कॉलेज को। यह बताओ, अरण्य चले गये, तुम क्यों नहीं गईं सूरिनाम?' यह श्रावणी कोंच रही थी।

'क्या करती मुझे कोई प्रायोजक ही नहीं मिला? मेरा वे लोग क्या करते, अचार डालते।' अपर्णा ने कहा।

'अपने प्रकाशकों से कहतीं।'

अपर्णा के दिमाग में जीरो पावर का बल्ब जला। यह क्यों नहीं याद आया। लेखक का प्रायोजक प्रकाशक तो हो ही सकता है। इतनी किताबें हैं, सभी का कोई न कोई प्रकाशक है। सौभाग्य से सभी बड़े आदमी हैं। सब हिन्दी-प्रेमी भी हैं।

'मैं तो उस दृश्य की कल्पना से ही लोटपोट हो रहा हूँ, 'मुकुल ने चाय में एक और चम्मच चीनी डालते हुए कहा, 'तुम बोलने खड़ी होतीं : तुम्हारी एक बाँह पर राजकमल लिखा होता दूसरी पर वाणी। तुम्हारी साड़ी की पटली से पेंगुइन चिपकी होती और कमर से काली। ऐसे में तुम क्या बोलतीं और क्या नज़ारा होता।'

वे सब हँसने लगे। श्रावणी ने कहा, 'अरे किसी कलम की

कम्पनी से बात करतीं। लेखक से ज्यादा और कौन कलम इस्तेमाल करता है।'

अपर्णा ने कहा, 'अब जब सारे पंछी उड़ गये, तुम अक्ल छाँट रही हो। तुम्हें क्या पता कि आजकल कलम-पेन्सिल का विज्ञापन भी फिल्मी सितारों के हाथ में चला गया है। ऐसा लगता है वे ही सबसे बड़े लिक्खाड़ हैं।'

मुकुल बोला, 'काग़ज़ मिल भी तुम्हें प्रायोजित कर सकती थी।'

अपर्णा ने कहा, 'मेरी किताबें गिन कर देख लो। अब तक कुल कितने रीम काग़ज़ काला किया होगा मैंने? सीधे काग़ज़ मिल की बात कर रहे हो जबकि मुझे स्टेशनरी की दुकान भी कोई छूट नहीं देती।'

वे दोनों समझ गये अपर्णा के मामले में ज़रा भी दम नहीं है। पता नहीं बाकी हिन्दी वालों को किसने सूरिनाम भिजवाया। अपर्णा तो कच्ची खिलाड़ी निकली।

उन्हें महसूस हुआ पिच पर खेल रहे ये ग्यारह खिलाड़ी सचमुच बड़े खिलाड़ी हैं। इनके कन्धे, कॉलर, घुटने, पीठ, पेट सब प्रायोजित हैं फिर भी ये न सिर्फ खेल रहे हैं बल्कि प्रतिद्वन्द्वी टीम के छक्के भी छुड़ा रहे हैं।

अनावश्यक

बच्चा गोद में पड़ा चिल्ला रहा था। वह पाँच दिन से लगातार चिल्ला रहा था। पाँच दिन पहले मैं चिल्लाती रही थी। अब मैं शान्त थी, हल्की, निश्चिन्त और कमज़ोर। नहीं मैं ग़लत कह रही हूँ। मैं न हल्की थी न निश्चिन्त। मैं कुढ़ रही थी। मेरा मन हो रहा था, अभी, इसी क्षण बच्चे के लम्बे-लम्बे नाखून उग आयें और पैने-पैने नुकीले दाँत जिनसे वह सबको बकोट डाले या काट खाए। मैं चाहती थी वह अचानक जिन्न की तरह बड़ा हो जाय, हृष्ट-पुष्ट और विशाल और इस कमरे में बैठे इन सारे लोगों को कान पकड़कर बाहर निकाल दे—ये लोग, जो, जबसे वह पैदा हुआ, उसे किर्च-किर्च बाँट रहे हैं : उसकी शक्ल उसके बाप पर, उसका रंग उसके ताऊ पर, उसकी उँगलियाँ उसकी बुआ पर, उसकी आँखें उसकी ताई पर, उसकी हगनी-मूतनी...यहाँ तक कि मेरे पास उसका कुछ भी नहीं बचा है जिसे मैं अपना कह सकूँ। सिर्फ़ जब वह चिल्लाता है, अनुभवी लोग मुँह बना कर सिर हिलाते हैं कि हाँ उसका स्वभाव मेरे ऊपर गया है। अगर बड़ा होकर यह नगरवाला या माधोसिंह निकला तो लोग क्या कहेंगे। मुझे बेफिक्र रहना चाहिए, लोग कुछ न कुछ कह लेंगे। लोग हमेशा कहते रहते हैं।

बहरहाल मुझे उसके बड़े होने का बेसब्री से इन्तज़ार है। उसे बड़ा होने में वर्षों लगेंगे। मुझे इन्तज़ार से चिढ़ है। मैंने ये पिछले महीने एक सख़्त चिढ़ में गुज़ारे हैं। उन दिनों मैं एक बेडौल इन्तज़ार थी। उन दिनों शहर भर की औरतें मेरे पास आतीं,

सद्भावना और सह-अनुभूति के बोझे ले। वे बतातीं उन्होंने अपने-अपने पप्पू कितनी मुश्किल से पैदा किए, डॉक्टर ने कितनी फीस ली और मुहल्ले में कितने किलो लड्डू बँटे। इन बातों में मेरी कोई दिलचस्पी नहीं थी। मेरी दिलचस्पी बच्चा पैदा करने में भी नहीं थी। मैं अपना बाकी जीवन फेमिना पढ़ते, कोज़ी नुक में कॉफी पीते, सिविल लाइंस में शॉपिंग करते गुज़ारना चाहती थी। मैं नहीं चाहती थी यह तमाश-देखू भीड़, ये नर्सें, ये पेट पर पड़े टाँके और यह कैद। पर ये सब मेरी मूर्खता के पुष्ट प्रमाण थे और मैं जो अपने को बड़ी तेज़, बड़ी चतुर मानती थी, एक औसत बेवकूफ औरत की तरह खाँसती हुई बिस्तर पर पड़ी थी।

इन पाँच दिनों में अस्पताल में सैकड़ों बच्चे पैदा हो चुके थे। कहते हैं जिस रात यह पैदा हुआ, उस रात सबसे ज्यादा बच्चे पैदा हुए। पैदा होते ही औसतपन में शरीक हो जाना कैसा लगता होगा। अब ये सब बच्चे चींटी की चाल से बड़े होंगे और जब तक ये दोस्त बनने की हैसियत पर पहुँचेंगे, इनके माँ-बाप बूढ़े हो चुके होंगे।

लोग मुझसे पूछ रहे हैं इसका नाम क्या है। मैंने कहा, मैंने इस बारे में अभी सोचा नहीं। लोग उलाहना दे रहे हैं, मैं अब तक क्या करती रही। मुझे कम से कम नाम सोच कर तैयार रखना चाहिए था और दो-एक स्वेटर। मेरा मन होता है ज़ोर से चिल्लाऊँ'—"भाइयो और बहनो, इसका नाम बबलू है, इसका वजन दो किलो पचास ग्राम है, इसे हम अमूल पिलायेंगे। बड़ा होकर यह सेंट जोजफ़ में जायेगा। यह हमें बाबा ब्लैकशीप सुनायेगा जिसे सुन-सुन कर हम निहाल हुआ करेंगे। यह अपने माँ-बाप को ममी-डैडी कहा करेगा, यह अपनी सालगिरह पर मोमबत्तियाँ बुझायेगा। यह पहली गाली अंग्रेज़ी में देना सीखेगा। यह बाटा के जूते पहनेगा, यह टाटा का तेल लगाएगा; यह...आप लोग सब्र रखिये, यह ये सब करेगा।"

मैं निश्चय करना चाहती हूँ कि मैं इसे स्कूल नहीं भेजूँगी; मैं इसे 'द रेनबो', कविता याद न होने पर नहीं पीटूँगी; मैं इसे नौकरियों के लिए अर्ज़ियाँ नहीं भेजने दूँगी। पर मेरा चालाक विवेक कहता है मैं इससे यह सब करवाऊँगी और जब खूसट बुढ़िया हो जाऊँगी तो सारा दिन टर्र-टर्र कर इसका और इसकी बीवी का जीना हराम करूँगी। इसी सन्दर्भ में मैं इस नतीजे पर पहुँचना चाहती हूँ कि हिन्दुस्तानी औरत कभी सौम्यतापूर्वक बूढ़ी होना नहीं सीखेगी। पचास पार करते ही वह घर में एक असभ्य उपस्थिति हो जायेगी।

बिना चाय के छोटे-छोटे स्टूलों पर बैठे-बैठे लोग ठण्डे पड़ गए हैं। वे खिसकने की ताक में हैं। उनके चेहरों पर, उठते समय, एक हल्की उदासी है—अपने बच्चे बड़े हो जाने की—और एक खुशी—हमारे फँस जाने की। इससे पहले हम इस शहर के सबसे सैलानी दम्पति माने जाते थे। जेबों और पर्स में ज्यादा से ज्यादा सिगरेटें भर हम निकल पड़ते थे शिकार पर : गलत-सही सड़कों का, आलसी दोस्तों का, समय का और चाय की दुकानों का। मैं इन्हें रोक कर कहना चाहती हूँ कि अगले हफ्ते मैं बदस्तूर कोज़ी नुक में मिलूँगी पर मेरे बोलने से पहले ही वे 'तुम भी भुगतो' के अन्दाज़ में विदा ले कमरे से बाहर हो जाते हैं।

हे ईश्वर! अब हमारे उन सपनों का क्या होगा जो हमारे बिल्कुल आपस के थे और जिनमें यह बच्चा किसी भी तरह फिट नहीं हो सकता। हम अगली गर्मियाँ पहाड़ पर बिताना चाह रहे थे। उससे अगली छुट्टियों में हम कमलेश से मिलने इंग्लैण्ड जाने वाले थे। हम फ्लाइंग सीखना शुरू करने वाले थे; हम गजधर में बियर पीने वाले थे। अब हम क्या कर सकेंगे। अब हम ग्राइप वॉटर खरीदते नज़र आया करेंगे। मेरा गणित कहता है यह तीन साल पहले आ गया है। उसका गणित कहता है यह बिल्कुल सही समय पर आया है। वह कहता है यह चाकलेट चूसता हुआ हर जगह

हमारे आगे-आगे दौड़ता चलेगा। पर यह सब तभी होगा जब मैं, मेरे अन्दर का हिस्सा, साबुत, घर पहुँचेगा। नहीं, मेरे अन्दर का हिस्सा अब खण्डहर हो गया है, वह मुझे कभी वापस नहीं मिलेगा। मैं तो हवाई जहाज-सी गिरी हूँ। अब मुझे सब कुछ भूल जाना है—यह, कि हमारे घर सुबह-सुबह अखबार आता है; यह कि मुझे नौ बजे तक सोना पसन्द है; यह कि मैं चाय एकदम गर्म पीती हूँ और यह कि मुझे साड़ी की इस्त्री और कलफ़ विशेष प्रिय हैं। मुझे अब स्त्रियोचित गुणों से मण्डित होना है। यानी मुझे कुछ प्रतिशत यशोदा मैया और कुछ प्रतिशत ललिता पवार बनना है।

यहाँ से जाकर मैं तुरन्त अपने को किसी मनश्चिकित्सक को दिखाना चाहती हूँ। पर इस छोटे शहर में वह मिलेगा कहाँ। यहाँ तो गली-गली, हकीम और होमियोपैथ का बोलबाला है। खैर तय है कि मुझमें ज़रूर कोई नैसर्गिक कमी है। क्यों नहीं मैं इस घटना से विभोर हो उठती, क्यों नहीं मेरा मन लोरी गाने को करता, क्यों नहीं मेरी छातियों में दूध दौड़ आता, क्यों नहीं मैं पालना अपने पास रखवा लेती! शायद मेरा स्वभाव ही खराब है। मैंने प्रसन्न होना कभी सीखा ही नहीं। तब भी नहीं जब पहली ही कोशिश में मैंने पहले दर्जे का पति प्राप्त कर लिया था जो अपनी कुल जान-माल समेत मुझ पर फिदा हो गया था। यह मेरे अन्दर, हर समय हाय-हाय क्यों मची रहती है। इधर मैं सोचने लगी हूँ, यह जरूर कोई सृजनात्मक हाय-हाय है। लिहाज़ा मैंने बावन रुपये साठ पैसे की बॉम्बे डाइंग की साड़ी खरीदी और फेब्रिक-पेन्ट्स। खाने की मेज़ पर मैंने साड़ी फैला कर लाल पेन्सिल से नमूने बनाये। मैं जानती थी मैं फूल-पत्तियाँ नहीं बना पाऊँगी। मैंने स्टोर में से स्पिरिट की बोतल उठाई और सारी साड़ी पर एक ही झोंक में नरमुण्ड और आपस में क्रॉस करती दो हड्डियाँ उतार लीं। तीन घण्टों में मैंने पूरी साड़ी रंग डाली; फिर एकदम पस्त हो बिस्तर पर पड़ गयी। बाद में वह साड़ी न मैं कभी पहन पायी न किसी को

भेंट दे पायी। मुझे लगता रहा जैसे मुझसे कोई अमानुषिक कृत्य हो गया हो। मैं खोज कर रही हूँ वे कौन तत्त्व हैं जो मुझे ऐसी बातों के लिए प्रेरित करते हैं। मसलन किसी की नौकरी छूट जाय, किसी के साथ दुर्घटना हो जाय, किसी का पर्स खो जाय तो मेरे मन में एक च् च् च् सहानुभूति क्यों नहीं पैदा होती; क्यों कहीं अन्दर से आवाज़ उठती है 'अच्छा हुआ।' पर अगर ऐसा ही हो गया है तो क्यों मैं 'आपका बंटी' पढ़ते हुए हिचकियों से रोई।

पर यह सारे समय अपने अन्दर मैं अपने आप से क्यों परेशान रहती हूँ। क्यों नहीं सोचती मैं अपनी गली के बारे में जहाँ भिखारियों से भी ज्यादा विपन्न और बेचारे लोग रहते हैं। क्यों नहीं सोचती मैं उन बच्चों के बारे में जो कड़कती ठण्ड में गली में बिठा दिए जाते हैं क्योंकि उनके घर पाखाने नहीं हैं। क्यों नहीं मैं सोचती कमाल धोबी के बारे में जिसे अपना धन्धा सिर्फ इसलिए बन्द कर देना पड़ा क्योंकि उसके पास कोयला खरीदने को साठ पैसे नहीं थे। क्यों नहीं मैं सोचती अपनी महरी के बारे में जिसके पास बाल सीधे करने के लिए एक कंघा तक नहीं। ज़रूर मैं असामाजिक होती जा रही हूँ। मुझे अपने भविष्य की पड़ी है। गली जाय भाड़ में, देश जाये भाड़ में, बस मैं नाम कमा लूँ। पर इन्दिरा गांधी के सिवा हिन्दुस्तान की कौन औरत नाम कमा लेगी। हिन्दुस्तानी औरत तो आलू-प्याज खरीदते, स्वेटर बुनते, चवन्नियाँ बचाते नष्ट हो जायेगी। कमरे में चिल्लाता यह बच्चा, ये भीतर-बाहर सूखते पोतड़े, ये लोगों की मुबारकें, सब मुझे लगातार जता रहे हैं, मैं भी वही हूँ, मैं भी वही हूँ।

फिर भी प्यार

हम जिस गेस्ट हाउस में ठहरे हैं उस पर कई बारिशों की मार पड़ चुकी है। पहली, दूसरी, तीसरी ही नहीं, अनेक बारिशें, जिनके पानी की ओक छत की नालियों के रास्ते उसकी दीवारों पर निशान छोड़ती गई है। गेस्ट हाउस के द्वार पर स्वागतम् लिखा है। लेकिन वहाँ स्वागत जैसा कुछ नहीं है। बाहर बेतरतीब कतारों में पौधे हैं, एक कार पोर्च में खड़ी है जिसके अगले दोनों टायर पिचके हुए हैं। अन्दर झाड़ू लग रही है। अखबार के स्टैण्ड पर खड़े दो लड़के अखबार पलट रहे हैं।

कमरा देख कर कोठरी की याद आती है। कोठरी से भी छोटे इस कमरे में दो बिस्तर एक मेज़-कुर्सी, एक पंखा कॉफी कौशल से फिट किया गया है। बाथरूम कुछ बड़ा है लेकिन हमारे लिए कष्टदायक। यही एक समय है जब भारतीय पद्धति रास नहीं आती। मेरे घुटने मुड़ना भूल चुके हैं।

दूसरे कमरे की व्यवस्था हो जाती है। यह बेहतर है, साफ, सुविधाजनक और ठण्डा।

— किसी को वंचित कर तो नहीं मिला है यह?

— नहीं।

मैनेजर की आँखों में पिछली रात की नींद भरी है। रजिस्टर में नाम लिखते हुए वह उबासियाँ ले रहा है।

कुछ लड़के-लड़कियाँ मिलने आते हैं। उनकी बातों में पूरा शहर देख लेती हूँ। वे कहते हैं।

— आँचल मिलने आयेगी। उसने कहा है।

— अभी क्यों नहीं आयी?

— खाली नहीं थी।

यह तो सुना था दिल्ली जाकर उसने नाम बदल लिया है। यह नहीं सुना था कि क्या रख लिया है। मुझे लगा पहला नाम ज़्यादा अच्छा था।

अपने शहर की लड़की थी वह्निशिखा। थोड़ी-थोड़ी हर चीज़ में कुशल। पढ़ाई, अभिनय, नृत्य, संगीत और खेल। थोड़ी सुन्दर। ज़्यादा स्मार्ट। माता-पिता के निषेधों से आक्रान्त। बीस साल की उम्र में क्रान्ति कर डालने की इच्छुक। छुट्टी की दोपहरों में हमारे घर बैठ कर माथापच्ची करती। किस तरह सबसे जल्द और आमूलचूल बदली जा सकती है दुनिया।

हम कहते—इतनी जल्दी क्या है। दुनिया रोज़ थोड़ी-थोड़ी बदलती है। इसे देखो और प्रतीक्षा करो। वह्निशिखा कहती—नहीं आंटी मैं इतनी देर इन्तज़ार नहीं कर सकती। आप साहित्य में बदलाव की बातें करते हैं लेकिन जीवन में अपने टूथपेस्ट का ब्राण्ड भी नहीं बदलना चाहते।

उसकी जुमलेबाज़ी से हमारा मनोरंजन हो जाता।

कभी वह पूछती किस चीज़ का असर समाज पर सबसे अधिक पड़ता है, कहानी, कविता या नाटक? उसे बहुत-सी कविताएँ कण्ठस्थ थीं।

हम रस्मी जवाबों से उसे शान्त करना चाहते कि समाज समग्रता में ही प्रभाव ग्रहण करता है।

और विद्यार्थियों से हमें खबर लगी थी कि बी.ए. के बाद उसने लखनऊ विश्वविद्यालय में प्रवेश ले लिया था।

हमारे जीवन में विद्यार्थी पंछियों की तरह आते और उड़ जाते। हम अपनी पुरानी आरामकुर्सियों से उठ कर कहाँ जाते। वे ही जब-तब लौट आते। खैरियत लेते, खैरियत देते।

बहुत दिनों बाद नवीन के पास आकाश का पत्र आया था कि 'दुनिया में सिर्फ दो अच्छी लड़कियाँ थीं। एक से आपने बहुत पहले शादी कर ली, दूसरी से मैंने पिछले दिनों की है। वह्निशिखा आपको हलो कह रही है।'

हमें एक झटका जैसा लगा। हमें तो यह भी नहीं पता था कि कहानी के इलाके में इतने लम्बे समय से जमा हुआ रचनाकार आकाश अभी तक अविवाहित था।

– उम्र का फर्क कोई चीज़ नहीं होता। संसार के जितने महानायक हैं सबकी प्रेमिकाएँ उनसे बहुत छोटी थी अथवा बहुत बड़ी, आकाश कहता और वह्निशिखा कायल हो जाती।

– शादी के बाद लड़कियों का जीवन एकदम बदल जाता है। मैं नहीं चाहती कि मैं ऐसी बनूँ। वह्नि कहती और आकाश कायल हो जाता।

आकाश के परिवार ने उन दोनों को स्वच्छन्द छोड़ दिया। वे क्यों बनें खलनायक।

लड़की के माँ-बाप आशंकित और आतंकित थे। प्रेम विवाहों की आकस्मिकता उन्हें स्वीकार्य नहीं थी। पर उनकी राय कौन पूछता था। वह्नि तो घर आना भी नहीं चाहती।

वह बताती आजकल वे एक कहानी पर काम कर रहे हैं। मैं आस-पास रहती हूँ लेकिन उन्हें डिस्टर्ब नहीं करती। टीवी भी चलाती हूँ तो उसकी आवाज़ गुम करके। और तो और मैं ज़ोर से साँस भी नहीं लेती। लिखने की तपस्या भंग न हो।'

जानकार दोस्त पीठ पीछे हँस देते–अकेले यही लेखक है क्या। हम तो प्रेम-कहानी भी घर की बमचख में लिख लेते हैं। बच्चे सिर पर नगाड़ा बजाते हैं, नौकरानी बाथरूम में कपड़े कूटती है, पत्नी फोन पर गुटर-गूँ करती है, सब झेलना पड़ता है। युवतर लेखकों में आकाश सबसे ज़्यादा मूडी और मनमौजी था। कई बार

महीनों कुछ न लिखता। कभी दिन-रात इस कदर लेखन में डूबता कि जो पत्रिका खोलो, आकाश की कहानी या उपन्यास अंश।

एक बार मिला। दवा की दुकान से सुआलिन की गोलियाँ खरीद रहा था।

वह्नि को खाँसी आ रही है। थियेटर वर्कशॉप में उसे कल से हिस्सा लेना है।

आकाश ने वह्नि की महत्त्वाकांक्षाएँ पूरी करने के लिए कई कोशिशें कीं। हज़ारे अकादमी की फीस भर कर उसकी अधूरी पड़ी नृत्य की ट्रेनिंग पूरी करवायी। शास्त्रीय गायन सिखाने के लिए असीम गुरुजी घर जाने लगे। अभिनय के क्षेत्र में वह्नि का नाम अब तक जाना जाने लगा था। कई बार उसका रंगमंडल शहर से बाहर भी प्रस्तुतियाँ देता। आकाश, पत्नी की सफलताओं पर मगन हो जाता।

ज़रूर आगे की कहानी टुकड़ों में घटित हुई होगी। लोगों को टुकड़ों का ज्ञान नहीं।

आकाश जितना संवेदनशील था उतना ही फक्कड़ भी। जिन दिनों उसका दिमाग़ किसी रचना में जुटा रहता वह घर और शहर में रहता लेकिन अन्य दिनों में उसकी यायावरी जाग जाती। वह अपना झोला उठा कर चल पड़ता, जाने-अनजाने कस्बों की ओर। किसी मित्र का ध्यान आ जाय तो वह फोन करने की बजाय खुद ही पता लगाने निकल जाता। माता-पिता भाई और भाभी उसके स्वभाव से वाकिफ थे लेकिन वह्नि चिन्तातुर हो जाती। पहले वह मित्र मण्डली को फोन करती, 'आकाश कहीं चले गये हैं। मेरा जी घबरा रहा है। कोई अनहोनी न हो जाय।'

आठ-दस बार ऐसा होने पर मित्र जगत निश्चिन्त हो गया। उन्हें लगा आदत के मुताबिक आकाश जाता है तो आ भी जाता है। ड्रामा करते-करते वह्नि हर बात को ड्रामाई बनाने की अभ्यस्त हो गयी है।

वह्नि को लगने लगा जैसे आकाश उसी से बचने बार-बार घर से निकलता है।

वह अपने को कमरे में बन्द कर लेती। घर की दिनचर्या में उसकी भूमिका ऐसे दिनों में शून्यांक पर पहुँच जाती।

माँ समझातीं—जब शादी की है तो तुम्हारा सम्बन्ध सिर्फ आकाश से नहीं सारे परिवार से है। हम सब हैं न तुम्हारे पास।

वह्निशिखा रुआँसे चेहरे से माँ की बात सुनती। उसे घर बियाबान नज़र आता।

फिर शुरू होता फोन का सिलसिला। अपना मोबाइल कान से सटाये वह कहीं न कहीं अपने जीवनसाथी की टोह लेती रहती।

आकाश लौट कर खीझता—तुमने मुझे पिंटू समझ रखा है जो समस्त भारतवर्ष में फोन खटखटा देती हो।

आकाश का भतीजा पिंटू साढ़े चार साल का था और उसे हिदायत थी कि वह जहाँ जाये विपतराम सेवक को साथ लेकर जाय।

साथी की सूरत देखते ही वह्निशिखा खिल जाती। उसे सारी शिकायतें भूल जातीं। उसे अपने नृत्य के आगामी कार्यक्रम याद आते। वह अगले नाटक में अभिनय करने के लिए हामी भर देती।

माँ कहतीं, 'जब यह नहीं होता तू बिसूरती फिरती है। जब यह आता है तुझे पंख लग जाते हैं। अब तो घर बैठ।'

वह्नि को जैसे पासपोर्ट मिल जाता। यहाँ जा, वहाँ जा। मासूमियत से हँस देता आकाश उसकी चपलताएँ देख कर। वह्नि के प्रति उसके मन में प्रेमी, पति और पिता की मिली-जुली अनुभूतियाँ होतीं। जब वह रात में अपने नाटक के संवाद याद करती, आकाश उसके सिर पर अपने चार कहानी-संग्रह रख कर उसे स्टेज पर चलने का अभ्यास करवाता। कभी वह उसे मैकफर्सन लेक के ढलान पर ले जाता और ज़ोर-ज़ोर से डायलॉग बोलने के लिए उकसाता।

आकाश में उपस्थित चन्द्रमा की कलाओं की तरह जीवन में भी शुक्ल पक्ष और कृष्ण पक्ष मँडराते रहते हैं।

यकायक कब क्या हुआ कि राजधानी के एक थियेटर ट्रुप के बुलावे पर वह्निशिखा निकली तो ऐसी कि उसका अता-पता भी नहीं मिला। बरसों।

वह आकाश जो हमेशा घुमन्तू बादल बना रहता था, वह्नि की प्रतीक्षा में पर्वत की तरह निश्चल हो गया।

वह रोज़ अलमारी खोल कर उसकी साड़ियों और सलवार-सूटों को स्पर्श करता और अपने आप से कहता, 'जैसे मैं बिना बताये चला जाता था, वह भी चली गयी है ताकि मैं उसकी तड़प जान सकूँ। वह लौट आयेगी।

·उन्हीं दिनों उसे बम्बई की एक संस्था ने सम्मानित करने के लिए बुलाया। मन बिल्कुल नहीं कर रहा था। अन्दर गहरा पराजय बोध था। ऐसे समय अपनी जय-जयकार सुनने का कोई औचित्य नहीं था।

भाई बोले, 'तुम्हें यहाँ डॉक्टर कुन्दनलाल ने कहा है कि एड़ी की चोट की जाँच बम्बई या दिल्ली में करवाओ। चले क्यों नहीं जाते। एक पन्थ दो काज हो जायेंगे।'

बड़े भाई की बात की अवमानना आकाश ने कभी नहीं की।

हृदय में प्रतीक्षा की रागिनी बजती रही। वह बम्बई मेल में सवार हो गया। वहाँ नये प्रशंसक तो मिले ही, पुराने दोस्तों ने भी गले लगाया। ओह कितना सुकून है इन स्पर्शों में। काश वह्नि भी यहाँ मेरे साथ होती, उसने दुगनी प्यास से सोचा।

जब उसने सभागार में कहानी-पाठ किया उसे निरन्तर लगता रहा, वह्नि यह कहानी पाठ करती तो ज़्यादा सार्थक और प्रभावी होता। उसने आयोजकों से कहा, 'आज के कार्यक्रम की प्रेस विज्ञप्ति दिल्ली के अखबारों में अवश्य भेजियेगा।'

मन के कोने में उम्मीद थी कि उसके सम्मान की खबर पढ़ते

ही वह्निशिखा दौड़ी आयेगी। उसके एक-एक शब्द पर कैसी निहाल होती थी।

कई दोस्तों ने मिल कर एलिफेन्टा केव्ज़ देखने का कार्यक्रम बनाया। गया तो बेमन से आकाश लेकिन अरब सागर ने अद्भुत छवि-चित्र छोड़े मन पर। कुछ देर को उदासी तिरोहित हो गई।

एलिफेन्टा पहुँच कर सब मोटर बोट में खड़े हो गये, उतरने के लिए। तभी मोटर बोट को हल्का-सा झटका लगा एक दूसरी मोटर बोट का। आकाश थोड़ा लड़खड़ा गया और सीट पर लुढ़क गया। सीट के पीछे का उखड़ा हुआ लोहा कुहनी पर चोट कर गया। एक इंच लम्बी घिरीट लग गई उसे।

आकाश एकदम बिखर गया। उसने पाया, हालाँकि वह सम्मानीय अतिथि था, किसी का ध्यान उस पर नहीं था। सभी पिकनिक की मस्ती में थे।

'देखिये कुहनी से खून छलछला रहा है। किसी के पास दवा होगी क्या?' उसकी ओर सरसरी तौर पर देख, सब मुस्करा दिये। उनकी नज़र में चोट गम्भीर नहीं थी। हल्का-सा छिल गया था।

आकाश ने आयोजन के प्रतिनिधि से कहा, 'आप फर्स्ट एड बॉक्स लेकर नहीं आये?'

तभी एक महिला ने अपना पर्स खखोर कर वेसलीन की नन्ही-सी डिब्बी ढूँढ निकाली।

उसने आकाश को वेसलीन पकड़ायी। आकाश से डिब्बी खुल नहीं रही थी। उसने असहाय नज़र से महिला की ओर देखा।

महिला अपने पति की ओर ध्यान दे रही थी जो बड़े कठोर ढंग से उसे देख रहा था।

आकाश ने बिना लगाये वेसलीन वापस कर दी, 'इससे कुछ नहीं होगा। बैंडएड मिल जाती तो अच्छा था।'

एलिफेन्टा के प्रवेश मार्ग पर सिर्फ खाने-पीने और छोटी मूर्तियों की उठवाँ दुकानें थीं।

गुफाओं की सैर में खासा हो-हल्ला रहा। लेकिन आकाश इस सबसे असम्पृक्त बार-बार अपनी कुहनी सहलाता रहा। उसकी आँखों में बुद्ध से भी गहरी उदासी थी। पत्नी का ध्यान एक भी मिनट उसके ज़ेहन से नहीं उतरता था। वह्नि साथ आकर कितना खुश होती यही उसे बार-बार लगता।

नवीन सहित चन्द हितैषियों ने उसे सुझाया कि वह अपना मन अगली कहानी, अगली योजना या भविष्य के प्रेम-प्रसंग पर लगाये।

आकाश ने कहा, 'भविष्य हमेशा प्रसन्न और प्रफुल्ल लोगों का होता है। मेरे हिस्से में तो बस रात भर करवटें हैं और यह चिलकती चोट।'

उसे सुनने वाली लड़कियों का मन बड़ा गीला हो रहा था।

गीतांजलि ने कहा, 'अगर मैंने साड़ी पहनी हुई होती तो शरत् की नायिका की तरह अपना आँचल फाड़ कर तुम्हारे पट्टी बाँध देती। पर क्या करूँ मैं तो जीन्स पहन कर आ गई।'

सब हँसे लेकिन आकाश तड़प गया।

'मुझे किसी के आँचल की चाह नहीं मैं तो जीते-जी आग की लपटों में घिर जाना चाहता हूँ।'

साथियों ने कहा, 'साला ध्यान खींचने के लिए स्टंट कर रहा है।'

जब तक वे वापस लौटे शाम झुक आयी थी। गेटवे ऑफ इण्डिया बिजली के बड़े हण्डों की रोशनी में नहा कर, परिचित होते हुए भी पराया लग रहा था। उसकी दीवार से सटे बहुत से जोड़े बैठे थे।

ऊपर पहुँचते ही आकाश ने कहा, 'अरे मेरे कमरे की चाभी! गिर गयी कहीं, लगता है।'

चाभी क्या, उस लांच को भी ढूँढना आसान नहीं था जो इन लोगों को लेकर गया था।

'आप ठहरें, मैं अभी आया।'

आकाश फिर सीढ़ियाँ उतर गया। सब ऊपर से देखते रहे। सब थके हुए थे। मोटर बोट अथवा मोटर बोट में चाभी ढूँढ पाना

दुष्कर कार्य था। अन्य बहुत से लोग उसमें सवार थे।

काफी देर आकाश का कोई पता नहीं चला।

सभी साथी ऊबने लगे। देशमुख ने हेमन्त से कहा, 'तुम उसे ढूँढ कर लाओ। कहना चाभी की डुप्लिकेट होटल में होती है।'

नवीन ने कहा, 'जितना परेशान वह लग रहा था, कहीं जल-समाधि ही न ले ली हो।'

सिंह बोले, 'जिसकी पत्नी उसे छोड़ जाती है उसकी कैसी दशा हो जाती है, आकाश इसका आईना है।'

तभी हेमन्त आकाश को लिये वापस ऊपर आया। सबको तसल्ली हुई।

'कहाँ रह गये थे' नवीन ने चिढ़ कर पूछा।

जवाब हेमन्त ने दिया, 'कहीं नहीं थे, आखिरी सीढ़ी पर बैठे सिगरेट पी रहे थे। देखिये पैन्ट के पाँयचे गीले हो रहे हैं।'

'और चाभी?'

आकाश का मूड कुछ अच्छा था। मुस्कुराया और कहा, 'चाभी मेरी जेब में ही मिल गयी। आजकल मेरी चीज़ें बहुत जल्द गुम हो जाती हैं।'

गीतांजलि ने कहा, 'उतनी ही जल्द मिल भी जाती हैं।'

आकाश ने पास जाकर उसके हाथ थाम लिये 'गीताजी आपके मुँह में घी-शक्कर। काश मेरी सब खोई हुई चीज़ें वापस मिल जायँ।'

वापसी में एक जगह केमिस्ट शॉप में जाकर आकाश ने बैंडएड की पूरी पाँच पट्टियाँ खरीदीं। बाहर टोली के लोग कुछ आगे बढ़ गये थे। थोड़ी देर बाद ही उन्हें पता चला कि आकाश तो साथ है ही नहीं। झुँझलाते हुए लोग वापस मुड़े। हेमन्त ने कहा, 'ज़रूर केमिस्ट के यहाँ ही होंगे।' बीच फुटपाथ पर ही आकाश मिल गया। कुछ देर पहले का सहज भाव तिरोहित था। उसके पीछे मिडी पहनी हुई एक लड़की लगातार बोल रही थी, 'ए मैन प्लीज़। हम तुमको बोला न।'

ग्रुप के लोकल साथी फौरन माजरा समझ गये।

उन्होंने आकाश से पूछा, 'क्या हुआ?'

आकाश ने परेशान हाल बताया, 'हमने तो इनसे सिर्फ बैंडएड चिपकाने के लिए कहा था। यह शॉप के बाहर खड़ी थीं। ये हमें कहीं ले जाना चाहती हैं।'

गीतांजलि ने आगे आकर लड़की से कहा, 'तुम्हें गलतफहमी हुई है। अपना समय खराब न करो।'

लड़की ने हताश नज़रों से सबकी ओर देखा और वापस मुड़ी। आकाश ने पैन्ट की जेब में हाथ डाल कर सौ का नोट निकाला और उस अजनबी से कहा, 'सुनिये, यह आप रख लीजिये।'

गीतांजलि ने एतराज़ किया, 'यह तुम क्या कर रहे हो।'

आकाश ने एक तरह से लड़की के हाथ में नोट ठूँस दिया।

होटल तक सब इस बात पर लोट-पोट होते रहे कि आकाश लूटे बिना ही लुट गया।

आकाश ने कहा, 'ऐसा बेजा बातें मत कीजिये आप। उसने हमारी नर्सिंग की थी। आप तो हमारे लिए ठहरे भी नहीं। आपको बतायें। उसके हाथों का स्पर्श इतना कोमल था, लगा जैसे तितली ने हमारी कुहनी को छुआ।'

'फिर तुम्हारे पीछे कैसे पड़ गयी वह?'

'हमसे गलती हुई। हमने शुक्रिया करते हुए कहा, 'तुम्हारा स्पर्श बिल्कुल हमारी प्रिया जैसा है।' उसने पूछा, आपकी प्रिया कहाँ है? हमने कहा, पता नहीं कहाँ गयी। हमसे पूछ कर भी नहीं गयी। बस चली गयी। अपने सपने पूरे करने। इसके बाद वह लड़की कहने लगी आप मेरे साथ चलिये। मेरा घर पास ही है।'

'साले आज तो तुम्हारा उद्धार अपन कर दिये, कौन कब तक बचायेगा तुम्हें।' सिंह ने कहा।

इतने करीब से आकाश की बौखलाहट देख लेने के बाद जब-तब उसकी चिन्ता हो जाती। दोस्तों से खबर मिलती कि वह

अभी भी बेचैन है। बहुत कम बोलता है, लिखता तो और भी कम है। दाढ़ी बढ़ा ली है, बाल जटाओं जैसे रूखे और लम्बे हो गये हैं। उसे देख कर यही लगता है 'पहले फिराक़ को देखा होता। अब तो बहुत कम बोले है।'

एक बुधवार आँचल हमारे यहाँ आयी। हमें अपना चश्मा साफ़ करना पड़ा। इस बीच वह थोड़ी स्थूल हो गयी थी और थोड़ी सम्भ्रान्त। चेहरा चमक रहा था पर आँखें उदास थीं। कपड़ों में कलफ़ था पर चप्पलों पर धूल।

कमरा बेतरतीब था। मैंने सुझाव दिया कि अतिथि कक्ष में बैठा जाय।

उसने मना कर दिया, 'बहुत दिनों से किसी घर में नहीं बैठी। यहीं बैठेंगे।'

मुझे लगा मेरे साथ-साथ उसकी स्मृति में वे पुराने कमरे भी लौट रहे हैं जिनमें दरवाज़ों पर तौलिये लटके होते और मेज़ पर किताबें फैली होतीं। अखबार के पन्ने खुल कर यहाँ वहाँ फड़फड़ाते और चाय के प्याले तख्त के नीचे मिलते।

उसने अपने माता-पिता की खैरियत ली।

मैंने उसके माता-पिता की खैरियत दी।

उसने शहर का हाल पूछा।

उसने अपने कॉलेज के प्रोफेसरों को याद करना शुरू किया।

चटाख। मेरी सहनशक्ति टूट गयी, 'मैं तुम्हें इलाहाबाद का पंचांग नहीं दिखा सकती। जिस एक की तुम्हें याद आनी चाहिए, बस उसी का ज़िक्र तुम्हारे फसाने में नहीं है।'

आँचल खड़ी हो गयी, मेरी तरफ पीठ करके, 'क्यों आनी चाहिए मुझे याद उस एक की जिसने मेरी इच्छाएँ नहीं समझीं। उसने यह जानना नहीं चाहा मैं कैसा जीवन चाहती हूँ। उसने मुझे घर में डाल लिया फर्नीचर की तरह। कहानियों में परिवर्तन की बातें करता रहा और घर की किसी रंग उड़ी दीवार को बदलना नहीं

चाहा उसने।'

स्टेज पर मैं चाहे जितने नाटक देखूँ, असल ज़िन्दगी में कोई डायलॉगबाजी करे तो मेरा मन कहता है 'शट अप।' डायलॉग मारना हम भी जानते हैं पर दूसरों पर रहम करते हैं।

'बैठ जाओ, चाय पियो और स्वस्थ मन से सोचो तुम क्या चाहती थीं?'

'मैं एक खुशहाल घर चाहती थी; कायदे का पति और करीने का जीवन।'

'ऐसा क्यों है कि हर लड़की प्रेमी तो बेकायदा चाहती है और पति बाकायदा। आकाश वही था जिससे तुमने प्रेम किया।'

'आंटी शायद यह भी गलत है। सही तो यह है कि उसने मुझसे प्रेम किया।'

'और तुमने?'

'मैंने प्रेम होने दिया। दरअसल मैं एकदम कच्ची थी। मैं उसकी कहानियाँ पढ़ कर समझती रही इन सबकी नायिका मैं हूँ। मैं उससे चमत्कार की उम्मीद रखती रही।'

'इसमें उसका तो कोई कसूर नहीं था। सजा तो वह पा गया।'

मैंने उसे संक्षेप में बम्बई वाले प्रवास की बातें बतायीं। वह हँसने लगी। इस हँसी में वह खुशी शामिल थी जो तब होती है जब हमें पता चलता है कि कोई अब भी हमारे प्रेम में बँधा है। स्वयं बन्धनमुक्त होकर भी हम अपने प्रिय के प्राण बाँधे रखना पसन्द करते हैं।

न चाहते हुए भी मैं उद्धव की भूमिका निभा रही थी। मुझसे किसी ने कहा नहीं था।

'तुम्हारे बिना वह खैरियत से नहीं है। हो सकता है वह किसी खतरे में पड़ जाय। उसके साथ कोई हादसा हो सकता है। उसका रक्षाकवच एकदम खुला हुआ है।'

'और मेरा। आप उसकी पैरवी कर रही हैं। कभी सोचा आपने

मैंने कैसे काटा यह समय। किसने मेरी रक्षा की। इस शहर में रहना आसान नहीं था।'

'तुम किसी थियेटर ग्रुप में थीं?'

'वह तो पुरानी बात है। वहाँ का अतिचार देख कर जी घबरा गया। ठीक है, बड़ा ग्रुप था वह। साल में तीन शो तो विदेश में होते थे। लेकिन वह ड्रामे की दुकान ही था। अपनी स्त्री कलाकारों के बारे में वहाँ निर्देशक ऐसे बोला करते थे कि तबियत भड़भड़ा जाय। वे कहते, 'विदेश यात्रा में इन कलाकारों का मीटर हरदम डाउन रहता है।'

'तुम्हें इन खतरों का अन्दाज़ रहा होगा।'

'मुझे अपने दरवाज़ों पर ज़्यादा भरोसा था। मैंने ग्रुप छोड़ दिया। नया ग्रुप ढूँढना आसान नहीं होता। बीच के दिनों में मैंने बी.एड. पूरा कर लिया। नोयडा के स्कूल में पढ़ा रही हूँ। अपना छोटा-सा रंगमण्डल बनाया है। अभी सिर्फ ग्यारह कलाकार हैं। सब मेरी तरह अंशकालिक। हम शनिवार और इतवार को थियेटर करते हैं।'

'यह सब तुम वहाँ भी कर सकती थीं। इतने साधारण परिवर्तन के लिए तुमने बेचारे आकाश को ज़्यादा सज़ा दे डाली।'

'आप इतने रवायती ढंग से मत सोचिये। ठीक है यह मेरी सीमा थी। इससे ज़्यादा परिवर्तन मैं नहीं कर पायी। पर आकाश की सामर्थ्य तो अपार थी। उसने क्यों नहीं किया परिवर्तन जो मुझे अच्छा लगता? क्यों वह घर के खूँटे से बँधा रहा। क्यों उस छोटे शहर में मगन रहा? वह कहानी लिखने का दम भरता है क्या उसे नहीं पता लड़की सुरक्षा के साथ थोड़ा जोखिम भी चाहती है, घर के साथ थोड़ा बाहर भी।'

आँचल बोले जा रही थी। वह्निशिखा भी चुप नहीं थी।

सिर्फ मैं चुपचाप सोच रही थी ऐसा क्यों होता है कि दो लोग आपस में प्रेम करते हैं पर इकट्ठे नहीं रह पाते। हालात ऐसे होते हैं कि या तो वे रहेंगे या प्रेम!

उनका जाना

क्या सब परिवारों में ऐसा होता है। वर्षों सब ठीक-ठाक चलता रहे। यकायक कोई एक सदस्य एतराज़ की कंकड़ी उछाल दे और सारी व्यवस्था पुराने कनस्तरों के टीले-सी धड़ाम गिर जाय।

पापा-मम्मी को इकट्ठे हर जगह देखा जा सकता था। घर के अलावा डॉक्टर, केमिस्ट, शाह किराना स्टोर और फ्रंटियर फ्रूट मार्ट में। कॉलोनी के लोग उन्हें 'एक हंस का जोड़ा' कहा करते। वे अविवाहित लोगों के बीच आदर्श दम्पति और विवाहितों के बीच सदाबहार जोड़ी के नाम से जाने जाते। उम्र के साथ-साथ उनकी एक दूसरे पर निर्भरता बढ़ती जाती। हालत यहाँ तक थी कि पापा मम्मी से कहते, 'इनी, तुम नहाते समय बाथरूम बन्द न किया करो। एक तो तुम देर लगाती हो दूसरे मुझे कभी भी किसी चीज़ की ज़रूरत पड़ सकती है।'

जैसे बच्चों को समझाते हैं, मम्मी उन्हें कहतीं, 'अच्छा मैं चिटखनी नहीं लगाऊँगी पर दरवाज़ा तो उढ़क लेने दो। और अपनी फरमाइशें ज़रा काबू में रखे रहो।'

ऐसी हिदायत इसलिए कि मम्मी के बाथरूम में जाते ही पापा को दीवार पर कोई टेढ़ी कील नज़र आ जाती जिसे निकालने के लिए प्लास की ज़रूरत पड़ जाती अथवा टी वी का रिमोट उन्हें ढूँढे न मिलता। कभी-कभी तो मम्मी को नहाते-नहाते, बीच में उठ कर आना पड़ता, पापा इतना हंगामा मचा देते।

यही हाल दोपहर की नींद का था। जैसे ही 'सारिका' पढ़ते-पढ़ते

मम्मी की आँख लगती पापा उन्हें जगा देते 'इन्दु मेरी गुटका डिक्शनरी कहाँ रख दी तुमने। और पहले तुम छोटे-छोटे मुँगौड़े बनाती थीं चाय के साथ, अब क्यों नहीं बनातीं?'

मम्मी खीझने को होतीं तो उन्हें थपक देते, 'मैं तो यों ही पूछ रहा था, तुम पाँच मिनट सो लो।' पर मम्मी को चैन कहाँ। उनकी नींद उड़ जाती और वे रसोई में जाकर मूँग की दाल भिगोने लगतीं। मैं और मुन्ना उनका जीवन देखते और वृद्धावस्था की उनकी जुगलबन्दी पर निहाल होते रहते। कभी-कभी मम्मी कहतीं, 'मेरा बड़ा मन है मुन्नी, कुछ दिन तेरे साथ चल कर रहूँ। ज़रा अपनी आँख से देख तो लूँ कैसे तू एक सपाटे में कॉलेज, घर, बच्चे और लिखना-पढ़ना सँभाल लेती है।'

'रहने दो मम्मी, पापा घर छोड़ कर जायेंगे नहीं और तुम उनके बिना हिलोगी नहीं', मैं बात निपटा देती।

मुन्ना का भी यही हाल था। वह सर्दियों में घर आता। मम्मी के लिए ब्राउन साड़ी और ब्राउन शॉल लाता। पापा के लिए ब्राउन स्वेटर। पापा को ब्राउन शेड पसन्द था। अब माँ लाख कहें 'बेटे मेरे पास तीन शॉल हो गये ब्राउन रंग के।' मुन्ना उनके एतराज़ पर ध्यान ही नहीं देता। ब्राउन रंग देखते ही माँ का मुँह बन जाता। पापा कहते, 'अच्छा तो है। और क्या तुम छोकरियों वाले रंग पहनोगी अब?' मम्मी की सूरत खिसियानी हो जाती। चुपचाप कपड़े अपनी अलमारी में डाल देतीं। पापा को उड़द की दाल पसन्द थी, माँ को अरहर की। अरहर की दाल बस तब बनती जब पापा कहीं बाहर जाते। हमें इसमें कुछ भी अजीब न लगता कि घर पापा की मर्ज़ी से चलता है।

कभी हम अपने शहर से फोन करते। पापा से बात होती। जब मम्मी से बात होती तब भी पीछे से पापा के निर्देश सुनाई आते रहते। मम्मी की सादगी सँभाल कर रखना, पापा की बड़ी पेचीदा जिम्मेदारी थी। छुट्टियों में बच्चे और मैं गाज़ियाबाद जाते।

रात में हम माँ-बेटी और बच्चे टी वी देखने के बहाने कमरे में देर तक चह-चह करते। पापा खाना खाते ही सोने चले जाते। लेकिन वे एक कान से सारी बातें सुनते रहते। सुबह की चाय पर उनका संशोधन कार्यक्रम शुरू हो जाता। वे मम्मी से कहते, 'इन्दु तुमने ऐसा क्यों कहा? इसे ऐसे कहना था। उसे वैसे कहना था।' तंग आ कर मम्मी मुझसे कहतीं, 'मुझसे मत बोला कर मुन्नी। जो पूछना है अपने बाप से पूछ।' 'अपने बाप से' कह कर वे हम सब को एक अलग जमात बना देतीं और स्वयं नदी का द्वीप बन कर हमारी पहुँच से दूर छिटक जातीं।

जिस दिन हम ऊटी में घूम रहे थे, पापा का यकायक फोन आया, 'मुन्नी तू कहाँ है, जल्दी आ। तेरी माँ मर रही है।'

'क्या हुआ, क्या हुआ?' हमारी बदहवासी ने पूछा।

'पहले पागलों जैसी बातें कर रही थी। अचानक चुप हो गयी पाषाण-प्रतिमा की तरह। फिर तो बस बेहोशी में चली गयी। डॉक्टर कहता है रक्तचाप बढ़ने से ब्रेन हेमरेज हुआ है। अब कितने दिन कोमा में रहेगी, कुछ नहीं पता।'

हम लोग ऊटी से सीधे गाज़ियाबाद भागे।

अस्पताल के गहन चिकित्सा कक्ष नम्बर 3 में माँ बिस्तर नम्बर 3 पर पड़ी हुई थीं, लकड़ी के लट्ठे की तरह सीधी, निस्पंद और अचल।

सब परिचित और हितैषी एक-एक बार आ कर कर्त्तव्य निभा गये। अपने-अपने फोन नम्बर दे गये। मेरी डायरी में हितैषियों के इतने नम्बर टँक गये कि सारे पन्ने रंग गये। अस्पताल के लाउंज में बस हम दो बैठे रह गये, पापा और मैं।

डॉक्टर दिन में तीन बार राउंड लेने आते। पापा लपक कर बात करने के लिए उठते। डॉक्टर हर बार आश्वासन देते, 'हम पूरी कोशिश कर रहे हैं। आप भगवान से प्रार्थना करते रहिये कि ये ठीक हो जायँ।' पापा उखड़ जाते, 'मैं भगवान से नहीं, आपसे पूछ

रहा हूँ। मुझे निश्चित जवाब चाहिए ये कब ठीक होंगीं।'

डॉक्टर एक बार फिर अस्पष्ट से कुछ शब्द बुदबुदा कर अपने छात्रों की टीम के साथ आगे बढ़ जाते।

मम्मी की देह में नलियों और सुइयों की संख्या बढ़ती जाती। दूर से देखने पर वे प्रयोगशाला का नमूना नज़र आतीं।

एक दिन मस्तिष्क-परीक्षण के लिए उनके सिर के पीछे छिद्र बना कर द्रव निकाला गया। हालाँकि उन्हें सुई लगा दी गयी थी, बेहोशी में भी वे कराहने लगीं। एक क्षण को उनकी कराह सुन हम उम्मीद से भर गये। लेकिन दूसरे क्षण वे फिर वैसी ही निस्पंद हो गईं। उनकी बन्द आँखों में आँसुओं की बूँदें चुपचाप अटक गईं।

मैंने पापा से कहा, 'कोमा में जाने से पहले क्या हुआ था? क्या बातचीत चल रही थी आपकी?'

पापा भड़क गये, 'तू थाना है या कचहरी! मैं स्पष्टीकरण दूँ, यह चाहती है तू? तेरा स्टाफ नहीं हूँ मैं, समझी।'

'पापा मेरी भी चिन्ता समझें। सोलह दिनों से माँ बेहोश पड़ी हैं।' मैंने दबे स्वर में कहा।

पापा बोले 'तू तो पहाड़ पर मजे कर रही थी। झेला तो सब मैंने है। कभी ब्रेड खा कर सो गया, कभी बिस्कुट-चाय पर सारा दिन निकाल दिया।'

मन में उठा, मम्मी को तो यह भी मयस्सर नहीं। सुबह-शाम उन्हें नाक की नली के रास्ते फलों का रस दिया जाता, बस। पापा अपना ऑफिस बैग थाम कर उठ खड़े हुए, 'मैं ज़रा बैंक हो आऊँ।'

अस्पताल में बैठना मुझे नागवार लग रहा था या मैं अकेलेपन से बचना चाहती थी।

'कितनी देर में आयेंगे आप?'

'दिल्ली आना-जाना है। बस मिल गई तो दो घण्टे में लौट आऊँगा। वैसे तुझे कुछ करना नहीं है। तू चैन से बैठ कर अखबार पढ़। डॉक्टर कहते हैं कोमा के मरीज़ के साथ बैठे रहने का कोई

मतलब नहीं होता।'

पापा चले गये।

मेरे मन में उनके लिए नाराज़ी थी। कैसे वे मम्मी की बीमारी के प्रति तटस्थ हो सकते थे। अथवा यह आगामी एकाकीपन की तैयारी थी।

लाउंज की तकलीफदेह कुर्सी पर बैठना, वह भी देर तक, कोई सुविधाजनक अनुभव नहीं था।

मैं लॉन में आ गई।

वहाँ दो-तीन मरीज़ व्हीलचेयर में बैठे दिखायी दिये। स्वास्थ्य और बीमारी के विभिन्न चरणों की जानकारी इन मरीज़ों के बैठने और देखने के ढंग से ही मिल रही थी। इनके अभिभावक भी पास ही घास पर सुस्ता रहे थे। लॉन में एक तरफ़ एक महिला बहुत परेशान बैठी थी। कुछ दूरी पर दो बच्चे इंजेक्शन की शीशियों से खेल रहे थे।

गहन चिकित्सा कक्ष का वॉर्डबॉय लपका हुआ मेरे पास आया। उसने बताया, 'आपके मरीज़ को होश आ गया।'

मैं अन्दर भागी।

मम्मी आँखें घुमा घुमा कर कक्ष का जायज़ा ले रही थीं। मुझे देखते ही बोलीं 'बहुत भूख लग रही है मुन्नी।'

उनकी आवाज़ अस्पष्ट और क्षीण थी।

भावुक अश्रुओं का ज्वार अन्दर दबाते हुए मैंने उनके लिए थोड़ी-सी सूजी बनायी। सही बर्तन के अभाव में सूजी भूनी नहीं जा सकी। उसे वैसे ही दूध में डाल कर उबाल लिया और चीनी मिला दी।

इतने दिनों से उनका उपचार कर रहे डॉ. दुबे प्रसन्नचित्त कमरे में आये। माँ का गाल थपथपा कर कहा, 'वी आर बैक टु स्क्वेयर वन।'

मम्मी के बाल सुलझाते हुए मुझे लगा पापा भी कैसे समय बाहर गये हुए हैं। उनकी गैर मौजूदगी की बात मम्मी को बतायी

जाय या नहीं।

सिस्टर ने आकर रक्तचाप जाँचा। दो दवायें खिलाईं और उनकी हथेली पर अपना हाथ फेर कर बोली, 'अब सोना नहीं माँगता अम्माजी।'

मैंने डरते-डरते मम्मी से पूछा, 'पापा को बुलाऊँ।'

माँ के मुख पर तनाव के चिह्न दिखे, 'रहने दे।'

मैंने मन ही मन खैर मनायी। पापा तो इस वक्त बाहर थे।

'पूरे सोलह दिन सोती रहीं तुम! पापा एक पैर पर खड़े रहे तुम्हारे पास। मैं तो बाद में आई जब खबर मिली।'

मम्मी ने आँखें बन्द कर लीं।

मैं डर गयी। कहीं वे फिर बेहोश न हो जायँ।

'मम्मी, मम्मी' मैंने उन्हें हिलाया। वे थक गई थीं। मैंने चम्मच से उनके मुँह में जूस डाला। वे गटकती रहीं। शायद उनका गला सूख रहा था।

पापा होते तो मम्मी को जगा देख कर कितने खुश होते, मैंने सोचा या मेरे मुँह से निकला या दोनों के बीच की स्थिति रही।

मम्मी ने मेरे मन की स्लेट अपनी बन्द आँखों से पढ़ ली। आँखें हल्की-सी खोल कर बोली 'खबरदार जो उन्हें बुलाया। मैं इनकी चिक-चिक से तंग आ गई हूँ। इत्ती उमर मेरी हो गई। अपनी मनमर्जी का कुछ नहीं किया। तू और तेरा भाई भी उन्हीं का राग अलापते रहे। अपनी मनमर्जी मर तो लेने दे मुझे।'

मेरे मन में फिर वही सवाल उठा, ब्रेन हेमरेज से पहले इनमें क्या बात हो रही थी।

पूछ कर मैं उनकी तकलीफ़ ही बढ़ाती।

मम्मी कुछ देर चुप रह कर खुद ही बुदबुदाने लगीं, 'चुप बैठूँ तो चैन नहीं, बोलूँ तो ये बरसें। एक ही घर में मैं कहाँ चली जाऊँ। तेरे पापा तो झक्की हो गये हैं। सारा दिन सैर करें। कभी कहें मथुरा चलो वहीं रहेंगे, कभी कहें मुन्ना के यहाँ रहेंगे।'

‘उनकी बातों को थोड़ा अनसुना किया करो मम्मी। तुम्हीं ने उन्हें सिर पर चढ़ाया है।’

तभी सिस्टर ने आकर दवाओं की एक लिस्ट मेरे हाथ में थमाई।

‘अभी लाना माँगता’ कह कर सिस्टर चली गई।

मैं बाहर की तरफ लपकी। अस्पताल के ही परिसर में दवाओं की दुकान थी।

दवायें लेकर मैं वापस मुड़ी ही थी कि फाटक से पापा भी आते दिख गये। वे काफी थके-हारे लग रहे थे।

मैं दौड़ कर उनके पास पहुँची, ‘पापा, मम्मी होश में आ गईं, सच्ची।’

‘हैं, होश आ गया?’ पापा के शिथिल कदमों में रफ़्तार आ गई। मैंने उनका ऑफिस बैग थाम लिया।

‘मम्मी ने मुझसे बात की पापा’ मैं कह रही थी पर पापा को सुनने का होश कहाँ। ‘इन्दु इनी!’ पापा गलियारे से ही पुकारने लगे। उनकी आवाज़ पूरे गलियारे में गूँजी ‘इन्दु, इनीऽऽऽ।’

मैं उन्हें रोक नहीं पायी। पापा गहन चिकित्सा कक्ष की तरफ़ बढ़ गये।

मैं पीछे-पीछे गई। आज किसी ने मुझे नहीं टोका वरना हममें से केवल एक व्यक्ति अन्दर जा सकता था।

बेड नम्बर तीन के चारों ओर छोटी-सी भीड़ लगी हुई थी—डॉक्टर, सिस्टर और वॉर्डबॉय की।

पापा को देखते ही डॉक्टर दुबे ने गर्दन लटका कर कहा, ‘सॉरी सर, हम इन्हें नहीं बचा सके।’

मैं हक्का-बक्का।

पापा क्रोध में मेरी तरफ़ घूमे, ‘तू तो कह रही थी मम्मी बोल रही हैं। पागल है क्या?’

डॉक्टर दुबे ने जवाब दिया, ‘ऐसा कभी-कभी होता है। कोमा पेशेंट के अप और डाउन की कोई गारंटी नहीं होती।’

'सिस्टर आपके सामने मम्मी ठीक-ठीक बोल रही थीं।' मैंने कहा।

सिस्टर ने चुपचाप हामी भरी।

दवायें मेरे हाथ में उपहास की तरह लग रही थीं।

मम्मी को घर पहुँचाने का काम इतना जटिल था कि हमारे पास रोने की भी गुंजाइश नहीं थी।

तभी पड़ोसी, वर्माजी, रोज़ की तरह, अस्पताल आये मम्मी का हाल पूछने। उन्हें खबर से धक्का लगा। आगे के काम बड़ी रफ़्तार से करने पड़े। अस्पताल और कैन्टीन के बिलों का भुगतान, दवाओं की वापसी, सामान का सिमटाव, एम्बुलेंस। वर्माजी ने भी मदद की।

एम्बुलेंस ने शव ले जाने से मना कर दिया। हर्स का एक टायर खराब था। मजबूरन माँ को बड़े टेम्पो में घर लाना पड़ा।

आगे के दिनों में मित्र, हितैषी, दो-चार सम्बन्धी और पड़ोसी काम आये। शब्दों के शहंशाह पापा एकदम मौन धारे सब कर्त्तव्य पूरे करते गये।

घर का हर कमरा खाली लग रहा था। मैं जहाँ भी घर में खड़ी होती, मुझे लगता, रसोईघर से माँ पुकार रही हैं, 'मुन्नी।'

उठावनी तक भैया भी सपरिवार आ गया।

एक बार फिर रोआराट मचा और भीगा, भारी सन्नाटा छोड़ गया।

मेरे ज़िम्मे इतने काम थे जिनकी गिनती भी नहीं थी। मैंने भाभी को भी अपने साथ लगा लिया।

पापा ने कहा, 'रंजना पहले मेरे लिए चाय बना दे।' हममें से किसी को यह ग्राह्य नहीं था कि शान्ति हवन से पूर्व चूल्हा जले। आखिर वर्माजी काम आये। उन्होंने अपने घर से चाय बनवा कर पापा के लिए भिजवायी।

एक घूँट पीते ही पापा ने चाय वापस कर दी, 'कड़वी है, ठण्डी है। इन्दु ऐसी चाय पिलाती थी कि कलेजे में लकीर खिंच जाय।'

हवन-स्थल पर मम्मी की प्यारी-सी फोटो मेज़ पर रखी थी, चारों ओर फूलों से घिरी, दुल्हन की तरह सुन्दर और सुसज्जित।

पापा थोड़ी-थोड़ी देर में जाते और तस्वीर पर कोई हार या पुष्प ठीक कर देते।

मुझसे और बर्दाश्त नहीं हुआ। मैंने बक दिया, 'अब सेन्टी (सेन्टिमेन्टल) होने से क्या मतलब है! उनके जीते-जी आपने उन्हें सिर्फ सेविका माना, एन अपर सर्वेंट।'

भाभी मेरा हाथ दबाने लगीं। उन्होंने आँखों से रोका मुझे। भैया बोले, 'तू एकदम पागल हो गई है क्या?'

पापा रोनी आवाज़ में बोले, 'मैं अकेला रह गया। मुझे समझने वाला कोई नहीं रहा। पर तुम लोगों के बर्ताव से मैं और अकेला रह जाऊँगा।'

मैं चिल्लाने लगी, 'आपने मम्मी को मार डाला। काम करा कर, डाँट-डपट कर, टोक-टोक कर मार डाला। उन्होंने मुझसे शिकायत की थी, मुझसे।'

भैया बोले, 'अच्छा तमाशा खड़ा कर रही है मुन्नी। अभी सारे लोग आयेंगे, तूने यह क्या शोर मचा दिया है।'

'बोलने दे इसे। माँ तो सिर्फ इसकी मरी है, मेरा तो कोई नुकसान नहीं हुआ न।'

'आपने बस फायदा-नुकसान देखा अपना। आपने उन्हें मार डाला।'

पापा चूर-चूर हो धम् से बैठ गये। उसके बाद वे उस जगह से उठे नहीं। लोग आये। उन्होंने संवेदना प्रकट की। पापा ने हाथ जोड़ कर मौन-भाव से ग्रहण की। घर का माहौल नागवार हो गया।

एक भाभी के सिवा कोई मुझसे बोल नहीं रहा था। उस एक बार मैं घर से बिना विदा-आशीष के निकली। पापा से कैसे मिला जाय। वे अपने कमरे से निकलते नहीं। हिम्मत कर उनके कमरे में गई।

वे दीवार की तरफ मुँह करके लेटे थे।

'पापा' मैंने धीरे से कहा। सोचा था उनसे माफी माँगूँगी। वे

मेरी तरफ पलटे। उन्होंने कहा, 'यू हैव हर्ट मी वेरी डीपली मुन्नी। आइ लव्ड हर इन माय ओन वे' (तुमने मुझे बड़ा गहरा आघात पहुँचाया है। मैं अपनी तरह से उसे चाहता था।) पापा ने दुबारा दीवार की तरफ़ मुँह कर लिया।

कोई मुझे छोड़ने स्टेशन चलेगा, यह अन्त तक पता नहीं था।

जब मैं अकेली गाड़ी के इन्तज़ार में खड़ी थी, हड़बड़ी में भैया अचानक पहुँच गये। सीढ़ी चढ़ने-उतरने के कारण हाँफ रहे थे वे।

'मैंने कभी नहीं सोचा था तू इतनी बेवकूफ है।' भैया ने कहा। मैंने उनको देखा, कन्धे पर बैग उचका कर ठीक किया, सिर के ऊपर लगी रेलवे की घड़ी देखी।

'बैठे ठाले ततैया छेड़ दिया। अब वे सबको काटेंगे। मेरा क्या है। इतवार की जगह कल ही वापस चला जाऊँगा।'

गाड़ी आने की उद्घोषणा हो रही थी।

'सच नहीं बोलना चाहिए?' मैंने मुन्ना से पूछा।

'जानलेवा सच तो नहीं' भैया ने कहा, 'और फिर तू कैसे कह सकती है पापा ज़ालिम थे।'

मैंने अन्तिम अस्त्र इस्तेमाल किया—नारीवाद।

'तुम भी तो पुरुष हो, पापा की तरफ़दारी करोगे ही। मम्मी ने मुझसे शिकायत की थी।'

'वे तो होश में नहीं थीं। पापा ने फोन पर बताया, पागलों की तरह बात कर रही थीं।'

'नहीं' मम्मी का दिमाग बिल्कुल ठीक था।'

'बेवकूफ सुन। हर आदमी अपनी पत्नी को अपनी तरह से प्यार करता है, बच्चों की मर्जी से नहीं।' मैं वाकई बेवकूफ की तरह भैया को ताक रही थी। गाड़ी आ गई।

सीट पर बैठने के कुछ देर बाद भैया अन्दर आये। उनके हाथ में रेल-नीर की बोतल थी।

'भैया अब क्या हो?'

'चुप रहना सीख। बच्चों की मर्जी तो ओपीजी भी नहीं सुनते होंगे।'

'गाड़ी चलने वाली है' मैंने कहा। मेरा चेहरा अपराध बोध से सफेद पड़ रहा था।

परिवार में जैसे सोलह-सोलह दिन का पैकेज बना हुआ था। मैं घर लौटी उसके ठीक सोलहवें दिन, पापा की मकान मालकिन का फोन आया। तुम्हारे पापा को दिल का गम्भीर दौरा पड़ा है। यशोदा अस्पताल में हैं। तुम तुरन्त आ जाओ।'

सफर भर आँखें बहती रहीं।

सीधे अस्पताल पहुँची। उसी गहन चिकित्सा कक्ष नम्बर तीन के बेड नम्बर तीन पर पापा पड़े हुए थे। उनके मुँह पर ऑक्सीजन मास्क रखा हुआ था पर आँखें उनकी खुली और सचेत थीं।

मुझे देखते ही उन्होंने मास्क हटा कर परे कर दिया और कहा, 'आ गई मुन्नी।' तुरन्त बाद उनके चेहरे पर शिकायत का एक साया दिखा।

सिस्टर ने इशारे से मुझे बाहर बुलाया, 'ज्यादा बातचीत करना नहीं। बहुत बोलता है आपका पेशेंट। एक बार मिल कर आप चुपचाप बाहर बैठना।' अन्दर आकर पापा के पैर छुए फिर सिर।

मन में कई तरह के माफीनामे घुमड़ रहे थे पर भाषा साथ नहीं दे रही थी।

पापा बोले, 'कै रोज़ को आई है?'

'आपको साथ लेकर ही जाऊँगी अब।'

'मैं तो उड़ जाऊँगा अनन्त में। तेरी माँ इन्तज़ार कर रही होगी।'

अस्पताल में रोना नहीं है मैंने मन ही मन सुबकते हुए फैसला किया।

पापा बोले, 'मुन्नी तू सही थी शायद। मैंने इन्दु के बारे में कभी सोचा ही नहीं। उसे अपनी छाया समझता रहा। अब उससे सॉरी कहने तो जाना ही पड़ेगा न।'

छोटे गुरु

शहर में छोटे-बड़े मिला कर बीस-पच्चीस गुरु थे हालाँकि शिष्य एक भी नजर नहीं आता था। कृपालु गुरु, भजमन गुरु, आदि गुरु, अनादि गुरु, छोटे गुरु वगैरह-वगैरह। इन्हें गुरु का खिताब कब, किसने दिया, शहर को यह याद नहीं। नये-नये आने वाले यही अनुमान लगाते कि अपने जमाने के ये धुरन्धर पहलवान रहे होंगे। अखाड़े में किसी प्रतिद्वन्द्वी को पछाड़ा होगा और हमेशा के लिए गुरु बन गये या किसी आश्रम टाइप विद्यालय के अध्यापक रहे होंगे। नौकरी छोड़ दी पर नाम चिपका रह गया। किसी ने इन्हें पहलवानी या अध्यापकी करते नहीं देखा लेकिन इस इतिहास के सर्वेक्षण की हिम्मत किसी में नहीं थी। हर एक गुरु की अपनी खासियत थी। कृपालु गुरु का शहर के सारे सिनेमाघरों पर दबदबा था। उनके आदमी ही ये थियेटर संचालित करते थे। सिनेमाघर के साइकिल अड्डे भी उन्हीं के अधीन थे। पुलिस का महीना, प्रशासन को फ्री-पास और फिल्म के पोस्टर सम्बन्धी फैसले कृपालु गुरु के आदमी करते।

आदि गुरु का अड्डा दारागंज का नागवासुकि मन्दिर था जहाँ वे रोज शाम चार बजे के बाद बूटी छानते हुए देखे जाते। उनके भक्त समुदाय में चौबे-दुबे की भरमार थी।

शहर के मन्दिरों पर इनका एकछत्र राज्य था। इनके अड्डे पर कोई फोन नहीं था फिर भी इन्हें हर मन्दिर की राई-रत्ती खबर रहती—कहाँ अगले हफ्ते चोरी होने वाली है तो कहाँ अखण्ड पाठ;

किस मन्दिर पर कितना चढ़ावा आता है, किस मन्दिर का पुजारी कितना गुणी या कितना ऐबी है। भजमन गुरु का भजन-पूजा से कोई नाता नहीं था। देशी शराब की हौलियों पर इनकी बड़ी इज्जत थी। बड़े से बड़ा झगड़ा उनके आ जाने से तुरत-फुरत सिलट जाता। उनके समर्थकों को भी नहीं पता था कि भजमन गुरु का गुजारा कैसे चलता है क्योंकि कभी किसी ने उन्हें रुपये-पैसे को हाथ लगाते नहीं देखा।

इन सबसे अलग और अनोखे थे छोटे गुरु। न तो उनका कोई अड्डा था न तिलिस्म। अन्य गुरुओं की तरह ये धोती या तहमद नहीं पहनते थे। इनके ऊपर नेताओं की पोशाक खूब फबती थी। जब छोटे गुरु जैकेट और टोपी भी पहन लेते एकदम मन्त्री दिखाई देते। जीवन में उन्हें सिर्फ एक लगन थी—महिला जाति का कल्याण। इसके लिए वे दिन-रात एक किये रहते। धीरे-धीरे इस क्षेत्र में उनकी इतनी ख्याति फैल गयी कि उनके दरवाजे पर लुटी-पिटी, दीन-दुखी स्त्रियों की हमेशा भीड़ लगी रहती। पति से मनमुटाव हो या सास से कलह, स्कूल की प्रधानाचार्य से टकराव हो या दफ्तर से छँटनी, महिलाओं से जुड़े हर सवाल की सुनवायी छोटे गुरु के यहाँ थी। वे ध्यान से पूरी बात सुनते, पता नोट करते और अगले दिन उस ठिकाने जा धमकते। फरियादी की आधी समस्या तो इसी बात से हल हो जाती कि छोटे गुरु ने उस मामले में दिलचस्पी दिखायी। बाकी मामले का धीरे-धीरे निपटारा होता रहता।

छोटे गुरु का पारिवारिक जीवन सुखी नहीं था कि उसकी कोई शक्ल नहीं थी, दोनों ही बातें सच थीं। छोटी उम्र में माँ-बाप दोनों को एक-एक कर खो देने के बाद छोटे गुरु का संघर्ष बहुत अधिक बढ़ गया। अध्यापकों के घर पानी भरने जैसे कामों के जरिये उन्होंने मैट्रिक तक पढ़ाई की। कई तरह के कामों में असफल होने के बाद उनका मन नौकरी और व्यापार दोनों से उचट गया और उन्होंने अपना सारा वक्त समाज सेवा को देने का निश्चय कर

लिया। अनवरत सेवा का नतीजा यह हुआ कि इसी कार्य से उनकी दो वक्त की रोटी निकलने लगी। परिस्थितियों ने उन्हें सर्वहारा वैसे ही बना रखा था, उन्होंने थोड़े को बहुत समझा।

उनकी जिन्दगी अच्छी-खासी चलती रहती अगर पिछले दिनों उन्होंने एक दुखी महिला से हमदर्दी का इजहार न किया होता। रेखा गुप्ता नाम की इस महिला का दर्द यह था कि सन् 1980 में इसका विवाह मेरठ निवासी शिवकुमार गुप्ता से हुआ था जो कैनेडा के एक स्कूल 'सेंट माइकेल' में शिक्षक था। सात समुद्र पार कर वह शादी करने आया और दस दिन रेखा के साथ बिता कर वापस चला गया। पत्नी को आश्वासन दे गया कि जल्द उसे बुला लेगा। इस बात को दस साल गुजर गये, उसने अपनी पत्नी की कोई खोज-खबर नहीं ली। साल भर के अन्दर सास-ससुर ने उसे धक्के दे कर बाहर कर दिया। अन्याय और अपमान के दोहरे आक्रमण से रेखा वास्तव में रेखा जैसी क्षीण और व्यक्तित्वहीन हो चली।

इतने वर्ष उसने अपने माता-पिता के साथ काट लिये किन्तु अब वह एक स्थायी नौकरी चाहती थी जिसके सहारे शेष जीवन कट सके।

वह छोटे गुरु के यहाँ एक दिन गयी, दो दिन गयी और फिर अक्सर जाने लगी।

ऐसी ही एक अँधियारी शाम जब वह आयी, पानी मूसलाधार बरस रहा था। रेखा के पास छाता भी नहीं था। छोटे गुरु ने डाँटा, 'घर से निकलते बखत बादल नहीं दिखा था?'

रेखा ने परेशानी से आसमान की तरफ देखा और साँस खींची, 'जौन मनई के भगवान भी खिलाफ हो जाय उसके लिए क्या आँधी और क्या पानी!' वह वहीं बरामदे में पड़े तख्त पर एक किनारे बैठ गई।

छोटे गुरु कुछ देर असमंजस में दरवाजे के बीच खड़े रहे। फिर उन्होंने कहा, 'जैसे ही पानी धीमा हो, चली जाना।'

अन्दर आकर उन्होंने किवाड़ बन्द कर लिये। छोटे गुरु स्वपाकी थे। इस वक्त वे अपने हाथ से अपने लिए भोजन बनाते थे। कभी काम ज्यादा होता तो वे भोजन के बाद रात ही में अर्जियाँ बाँच लेते। कई बार अर्जियों का काम सवेरे अखबार पढ़ने के बाद करते।

छोटे गुरु ने धीमे-धीमे सब काम निपटाये। लेकिन जब उन्होंने सोचा लाओ अर्जियाँ भी देख डालें, यकायक बिजली चली गई। घर में घुप्प अँधेरा और लालटेन में तेल नदारद। छोटे गुरु ने माचिस और पैसे कुरते की जेब में डाले और बुझी लालटेन हाथ में थामे बाहर निकले कि बगल की दुकान से उसमें तेल भरवा लें। बारिश अब तक बन्द हो चुकी थी लेकिन गली से अभी पानी नहीं उतरा था। छोटे गुरु ने बगल की दुकान वाले सैफी को आवाज दी, 'सैफी भाई जरा लालटेन भर दो आकर।'

जलती लालटेन लेकर जब वे मुड़े तो यकायक चौंक गये। सैफी, जो अपना तेल वाला पउआ सँभाल कर ले जाने वाला था, एक मिनट को ठिठक गया। तखत पर रेखा सिमटी-सिकुड़ी सोई पड़ी थी। हड़बड़ा कर छोटे गुरु ने आवाज दी, 'अरे क्या नाम है तुम्हारा? उठो और अपने घर जाओ। बरखा थम गई है।' फिर वे सैफी से बोले, 'कोई अर्जी देने आई थी, यहीं औंधाई लग गई।'

रेखा हड़बड़ा कर उठ बैठी और बैठते ही खड़ी हो गई, 'क्या बजा है?' उसने पूछा। छोटे गुरु अन्दर गये घड़ी देखने। पौने दस बजे थे। उन्होंने बरामदे में आकर बताया।

'आज तो अम्मा हमें मार डालेगी। अब हम घर कैसे जायें?' रेखा ने काँपती आवाज में कहा।

'तो हम का करें। देख के औंधियाना चाही। ये नहीं कि जहाँ मर्जी पसर गये', छोटे गुरु ने डाँटा।

रेखा के शरीर से पसीने की नमकीन गन्ध छोटे गुरु तक आ रही थी। वे घबरा कर परे खड़े हो गये। मन ही मन हनुमान चालीसा पलटने लगे।

रेखा तखत पर धम्म से बैठ गई 'छोटे गुरु आप ही बतायें हम का करें कहाँ जायें। अभी तक तो कामौ नहीं रहा, अब ठिकानौ भी उठ जाई।'

'हम तो तुम्हारी मुश्किल निपटा रहे थे। मिशन स्कूल की बड़ी गुरुजी से कइयो चक्कर तुम्हारी नौकरी बदे मिले। पर तुम तो हमैई मुश्किल में फँसा रही हो। हटो हमारे दरवाजे पर से।'

रेखा ने कातर नजर से उनकी ओर देखा। छोटे गुरु दरवाजे की तरफ मुड़ चुके थे।

उसे माँ का चिन्ताग्रस्त चेहरा याद आने लगा। पिछले साल उसके पिता बिना इलाज के कमजोरी जैसी अस्पष्ट तकलीफ से चल बसे थे। तब से माँ-बेटी एक दूसरे की पतवार बने हुए थे। काम और कमाई दोनों का अभाव उनका मनोबल तोड़ रहा था। एक दूर जाये तो दूसरे को भय, आशंका और विमूढ़ता हो जाती। किसी भी तरह उसका घर पहुँचना निहायत जरूरी था। गली में पानी भरा था। जो इक्का-दुक्का लोग वहाँ से गुजर रहे थे उनकी पैण्ट घुटने-घुटने तक गीली थी। रात के अँधेरे ने गली को रहस्यमय बना दिया था।

रेखा ने निरुपाय संकल्प किया। उसने साड़ी का आँचल कमर में खोंसा, चप्पलें एक हाथ में उठाईं और साड़ी की पटली दूसरे हाथ से ऊँची की। वह निपट अँधेरे में घुटना-डुबान पानी में उतर गई।

छोटे गुरु कमरे की गौख से लगे-लगे उसे जाते देखते रहे। तभी बिजली आ गयी। लालटेन बुझाते हुए उन्हें सन्तोष हुआ कि रेखा कम से कम सड़क के अँधेरे से तो बच जायेगी। पर जल्दी ही उन्हें दूसरी चिन्ता ने आ घेरा। क्या वह सन्नाटे से बच पायेगी? उन्हें लगा कि उनसे भारी भूल हुई, वे रेखा के साथ उसके घर तक जा सकते थे। उसकी माँ को बता सकते थे कि बारिश के कारण रेखा उनके यहाँ फँस गई थी।

उस दिन अर्जियाँ पढ़ने में उनका मन न लगा। बिजली बन्द

कर अपने तखत पर लेटे पर नींद नहीं आई उन्हें रेखा के पसीने की गन्ध लौट-लौट कर आ रही थी। वे मन ही मन, करवट-करवट अपने को समझा रहे थे 'छोटे गुरु धीरज धरो। तुम्हारे नाम को बट्टा लग जायेगा। उसे रोकते तो सुबह तक बदनाम हो जाते। शहर के लोग थुड़ी-थुड़ी करते।'

छोटे गुरु ने अपने को कामों में झोंक दिया। एक दिन यकायक मिशन स्कूल की बड़ी बहनजी ने उनसे कहा, 'छोटे गुरु कोई अच्छी-सी टीचर बताइये जो टिक कर आठ घण्टे पढ़ाई करवाये। आजकल की लड़कियाँ नौकरी लपकने के लिए तो बड़े हाथ-पैर मारती हैं, मिल जाने पर इनकी लियाकत को लकवा मार जाता है।'

छोटे गुरु को यकायक रेखा गुप्ता का ध्यान आया। वे उसी शाम हमाम गली में 198 नम्बर का मकान ढूँढते हुए पहुँचे।

उनके एकाकी जीवन में विवाह का योग शायद ऐसे ही लिखा था। रेखा गुप्ता की माँ ने उन्हें एकदम से घेर लिया। उनके उद्गारों से छोटे गुरु को पता चला कि उस रात रेखा का देर से घर आना मुहल्ले में अभी तक टीका-टिप्पणी का विषय बना हुआ है। छोटे गुरु के सच्चरित्र पर माँ को सन्देह नहीं पर धरम की बात है। जिसके कारण रेखा की बदनामी हो रही है, वही उसे ब्याह ले जाय। पहली शादी की छूटमछूट हो चुकी है। अपनी ब्याहता से फिर छोटे गुरु नौकरी करवायें या चाकरी, वे जाने उनका काम जाने। छोटे गुरु ने लाख दलील रखी, रेखा की माँ सब काटती गई। रेखा ऊपर के कमरे में थी, उसे नीचे बुला कर समझा दिया गया कि छोटे गुरु नौकरी का ठिकाना लेकर आये हैं इनकी खातिरदारी करो।

उस रात छोटे गुरु ने कई साल बाद, औरत के हाथ की सिकी रोटी का स्वाद पाया। घर को लौटे तो लगा तबियत पर नशा छा रहा है।

मिशन स्कूल में रेखा गुप्ता को नौकरी मिल गई। अब तक माँ से उसे भनक मिल चुकी थी कि माँ ने छोटे गुरु से उसके पुनर्विवाह की बात चलायी थी। उसे अचरज हुआ कि माँ ने विपत्ति

में से विकल्प की राह ढूँढ निकाली। प्रस्ताव विचित्र था पर विसंगत नहीं। इसमें सबसे बड़ा आश्वासन सुरक्षा का था।

रेखा के जीवन में बीस साल बाद बसंत-बहार आई। हालाँकि बहुत कुछ बदला नहीं जा सकता था, कोशिश की जा सकती थी। जैसे दुख, निराशा और चिन्ता में कनपटी पर बाल सफेद हो गये थे उन पर सिर्फ मेहँदी लगायी जा सकती थी, उन्हें वापस काला नहीं किया जा सकता था। रात-बिरात रोते रहने से आँखों के नीचे गड्ढे पड़ गये थे, उन्हें कुछ देर के लिए पाउडर से ढका जा सकता था। इस सब से ऊपर एक और चेतना थी। इतनी आकस्मिकता से मिले सुख-सुहाग ने उसे सुरक्षा के साथ नये असुरक्षा-भाव से भी भर दिया।

छोटे गुरु हमेशा की तरह, अब भी सारा दिन समस्याग्रस्त स्त्रियों से घिरे रहते। इस क्रम में कोई व्यतिक्रम नहीं आया था। रेखा ने कई बार स्त्रियों को उनके सम्मुख रोते, सिसकते भी देखा। 11 से 5 बजे शाम तक छोटे गुरु कार्य क्षेत्र में रहते। रेखा स्कूल से चार बजे घर आ जाती। वह महिलाओं की अर्जियाँ लेने के बहाने उनसे गुपचुप वार्ता करती, 'वैसे तुम कागज दे जाओ पर छोटे गुरु ने यह काम बन्द कर दिया है। दरअसल है तो यह नेक काम पर इसमें बदनामी बहुत है।'

दुखी स्त्रियाँ अफसोस से कहतीं, 'ऐसी तो कोई बदनामी की बात नहीं है। और फिर अब तो छोटे गुरु गृहस्थी वाले भी हो गये।'

रेखा कहती 'वे कहते हैं बहुत कर लिया मैंने स्त्री-विमर्श। अब कोई कायदे का काम करूँगा जो फायदे का भी हो।' महिलायें जितनी दुखी आतीं उससे कहीं ज्यादा दुखी हो कर लौट जातीं। वे आपस में कहतीं, 'जब छोटे गुरु का इस काम से जी ही भर गया तो क्या किया जाय।'

छोटे गुरु को कानोकान खबर नहीं हुई और उनकी फाइल में अर्जियाँ आनी कम होती गयीं।

फिलहाल छोटे गुरु फिर बेरोजगार हैं।

वारदात

स्वागत तो उन्होंने गर्मजोशी से किया। इरादा सुनने में उन्हें कोई तकलीफ़ नहीं हुई। बल्कि उन्होंने इरादे की सराहना की, 'यह तो बहुत अच्छा होगा। एक बड़ा नक्शा यहाँ लग जायगा तो लोगों को मकान ढूँढने में दिक़्क़त नहीं होगी। यहाँ ए बी सी डी का ठिकाना नहीं है, कहाँ शुरू कहाँ खत्म।' दादा ने कहा, 'मैंने पाँच तीर भी बनवाये हैं सीमेंट के। यहाँ पाँच गली हैं, हर गली के नुक्कड़ पर तीर लगवा देंगे, उस पर ब्लॉक और फ्लैट नम्बर लिखे रहेंगे।'

'बढ़िया!'

'ऐसा है सिंह साहब इस काम में कुछ पैसा भी खर्च होगा। अठारह सौ बोर्ड का दाम है और तीर बनवाने में भी पाँच एक सौ लग जायेंगे। अगर हर घर से पचास-पचास रुपये इकट्ठे हो जायँ तो किसी पर वज़न भी न पड़े और कायदे का काम हो जाय।'

वे मूढ़े में पीछे होकर बैठ गये 'पर यह काम तो विकास प्राधिकरण का है।'

'उन्होंने शुरू में नक्शे का बोर्ड लगाया था। वह चोरी चला गया। अब वहाँ जल्दी सुनवाई नहीं होगी। वे लोग नयी बस्तियों को देखेंगे कि पुरानी!

'ऐसा है दादा हम तो रिटायर हो गये हैं। जो अभी नौकरी में हैं, मोटी-मोटी तनख़ाहें काट रहे हैं, उनसे माँगिये।'

'वे भी देंगे। हर एक घर से चन्दा होगा।'

'अच्छा यह बताइये, बोर्ड अगर फिर चोरी चला गया तो?'

'नहीं, इस बार उसकी देखभाल का ज़िम्मा रहेगा। नक्शे का बोर्ड दो तरफ़ ज़ंजीर से बाँध देंगे।'

सिंह साहब ने अखबार उठा लिया, 'अगर चोर जंजीर भी ले गये तो?'

'ले जाने को तो वे आपको भी ले जा सकते हैं, आपके अगल-बगल तो ज़ंजीर भी नहीं है' दादा ने उठते हुए कहा।

'आप तो खामखाह नाराज़ हो गये। बात यह है, हमारी कोई आमदनी तो है नहीं, रिटायर्ड लाइफ़ है। पैंसठ की उमर हो चली। कब भगवान के यहाँ से बुलावा आ जाय, कह नहीं सकते।'

'अगर ऐसे हौसला छोड़ेंगे तो जल्दी ही आयेगा', मुँह ही मुँह में कह, दादा ने दाँत पीसे और बाहर चले।

'गेट बन्द करते जाइये', सिंह साहब ने दादा की पीठ से कहा।

चन्द्रप्रभा सिंह का चौके का काम निपट गया तो वह बाहर आकर बेंच पर बैठ गयी। घर के बाहरी बरामदे में सीमेंट की दो बेंचें बनी हुई थीं। चन्द्रप्रभा अक्सर देर शाम, रसोई की गर्मी से बौखला कर पसीना सुखाने यहाँ आ जाती। कभी वह रसोई से सटे हुए कमरे का पंखा चला लेती कि डाइनिंग टेबिल तक आते-जाते कुछ हवा लगेगी पर सिंह साहब अगर देख लेते तो पंखा बन्द कर देते। वे जैसे अपने आप से कहते 'हमारी तो रिटायर्ड लाइफ़ है। हम नवाबों की तरह हर कमरे में पंखा चला कर कैसे छोड़ सकते हैं।

सुनते-सुनते चन्द्रप्रभा को रिटायर्ड शब्द से ही चिढ़ हो गयी थी। न वह रसोई में कोई व्यंजन बना सकती थी न बाज़ार से खरीद सकती थी। बाज़ार में बेशुमार चीज़ें दिखाई देतीं। मौसम के फल तरकारी और दुकानों में सजे सामान देख कर उसका मन मचलता। बाज़ार से लौट कर वह और उदास हो जाती। सिंह साहब उसे घर-खर्च के नाम पर सिर्फ दो हज़ार रुपये देते। महीने के अन्त में वे दाँत कुरेदते हुए पत्नी से पूछते, 'चन्दा तुम्हारे पास

कुछ रुपये बचे हैं क्या?'

चन्द्रप्रभा कुढ़ कर कहती, 'तुम्हारे पैसे तो पच्चीस तारीख को ही खत्म हो गये। यह तो मैं रद्दी और कबाड़ बेच कर काम चला रही हूँ।'

सिंह साहब बोलने में देर न लगाते, 'वाह भई वाह, अखबार का बिल मैं भरूँ और उसकी रद्दी का पैसा तुम्हारी जेब में।'

सिंह साहब को पान के अलावा कोई लत नहीं थी। जब से पान डेढ़ रुपये का एक बीड़ा मिलने लगा वे अपने इस व्यसन पर बहुत अफसोस करते। वे पत्नी से कहते, 'सस्ते के ज़माने में पान चबाने की आदत पड़ गयी। दरअसल डाक दफ्तर में इतनी लम्बी ड्यूटी होती थी कि बैठे-बैठे नींद आने लगती। बस नींद रोकने के लिए पान चबाना शुरू किया तो एकदम लत ही पड़ गयी। अब पछताता हूँ। तुम्हीं बताओ, डेढ़ रुपया मुँह में डाल कर कोई थूकता है?'

'ऐसे तो तुम रोटी भी न खाओ, चाय भी न पियो चन्द्रप्रभा कहती।

'अच्छा है बुढ़ापे में भूख-प्यास कम हो जाती है, नहीं तो ये भी दुख देते।'

चन्द्रप्रभा सिंह चिढ़ जाती, 'इतना बुढ़ापा आया नहीं है जितना तुम उसे बुला रहे हो। कल तक अच्छे-भले दफ्तर जाते थे, अब तुम हाय-हाय करने लगे।'

'अरे मशीन भी थक जाती है चलते-चलते। मनुष्य की क्या बिसात। भगवान के यहाँ से चिट्ठी आने की देर है।'

चन्द्रप्रभा हँस पड़ती, 'चिट्ठी तो कानपुर से आने में बीस दिन लग जायँ, भगवान के यहाँ की चिट्ठी पहुँचाने में डाकिया पचास बरस लगायेगा।'

सिंह साहब उखड़ जाते, 'तो तुम मना रही हो कि मेरी चिट्ठी जल्दी आय।'

'तुम तो सनक गये हो, मज़ाक भी नहीं समझते।' चन्द्रप्रभा

सिंह उठ कर अन्दर चली जाती।

दोनों के स्वभाव बदल रहे थे।

होना तो यह चाहिए था कि इतने वर्षों के साथ में दोनों को एक़ दूसरे की भिन्नता की आदत पड़ जाती लेकिन हो यह रहा था कि वे अक्सर एक दूसरे पर किचकिचा पड़ते।

सिंह साहब को उच्च रक्तचाप, मधुमेह और साँस फूलने की शिकायत थी। इन तीनों बीमारियों की रोकथाम के लिए डॉक्टर ने उन्हें तीन दवायें नियमित लेने को कह रखा था। साथ ही विटामिन बी कॉम्पलेक्स और कैल्शियम की गोलियाँ लेना भी ज़रूरी था। चन्द्रप्रभा को गठिया और गैस की तकलीफ़ थी। इन दोनों बीमारियों की दवायें भी डॉक्टर ने लिख कर दी थीं। साथ ही चन्द्रप्रभा के अकड़े घुटनों के लिए तेल और क्रीम बताई थी।

महीने के आरम्भ में सिंह साहब अपनी दवाओं के चार-चार पत्ते लाते किन्तु पत्नी की दवाओं के सिर्फ दो-दो पत्ते लाते। चन्द्रप्रभा तुनक कर कहती, 'क्यों महीना तो दोनों के लिए तीस दिन का होता है। मेरी दवा कम क्यों लाये?'

सिंह साहब कहते, 'कई रोज़ तो तुम दवा खानी भूल जाती हो। फिर कभी-कभी तुम्हारे दर्द नहीं होता। चन्द्रप्रभा मुँह फुला लेती।

सिंह साहब कहते, 'यह दवाई है, कोई मिठाई नहीं कि तुम इसके लिए झगड़ा करो।'

चन्द्रप्रभा झींकती, फिर थोड़ी देर बाद सामान्य हो जाती क्योंकि इसके सिवा कोई चारा नहीं था। सिंह परिवार के दोनों बच्चे अपनी नौकरियों में अलग शहर में तैनात थे। बड़ा बेटा बम्बई में था तो छोटा दिल्ली में। दोनों की शादियाँ हो चुकी थीं। नौकरी से बँधे होने के कारण वे माँ-बाप के पास इलाहाबाद बहुत कम आ पाते। हर इतवार वे घर पर फोन कर उनकी खैरियत पूछ लेते।

सिंह साहब ने विजेता की तरह पत्नी को बताया, 'दादा चन्दा लेने आया था, मैंने भगा दिया। अगर फिर आये तो तुम दे मत देना।'

'मेरे पास कहाँ पैसे धरे हैं? वैसे कितना माँग रहा था?'

'पचासा।'

'काहे के?'

'कहता है कॉलोनी में नक्शा लगवायेगा। पहले वाला चोरी हो गया। मैं कहता हूँ यह दूसरा भी चोरी हो गया तो अपने पैसे मिट्टी में मिलेंगे कि नहीं। दस साल में समाज में चोरों की जनसंख्या भी तो बढ़ी है।'

चन्द्रप्रभा ने अपने होठों पर चुप्पी की चिमटी लगा ली। उसे मन ही मन बुरा लगा।

आस-पास के पाँच-दस घरों में उसका उठना-बैठना था। जब चन्दे की कॉपी वहाँ घूमेगी लोग देखेंगे, सिंह के घर का नम्बर गायब है। उन लोगों के लिए सिंह साहब की कंजूसी पहले ही मखौल का विषय है। मिसेज़ खान, यादव और त्रिपाठी ज़रूर इस पर चर्चा करेंगी।

दादा इस कॉलोनी के सबसे पुराने बाशिन्दे थे। चारों तरफ़ उनकी इज़्ज़त थी। वे कोई पेशेवर नेता नहीं थे। यहीं के स्कूल से अवकाश प्राप्त किया था और अब अपने आप को कॉलोनी के विकास कार्य में झोंक दिया।

दादा की कोशिशों से ही पिछले साल कॉलोनी में एक चौकीदार भी रखा गया था। कॉलोनी की कल्याण-समिति ने अपनी बैठक में तय किया कि हर घर से चौकीदार को पचास रुपये महीने दिये जायँ। ढाई हज़ार रुपये महीने उसे नियम से मिलने लगें तो चौकीदार टिक कर काम करे। यह इन्तज़ाम तीन महीनों मे टैं बोल गया। हर घर को शक रहता कि दूसरे घर ने उसे पैसे नहीं दिये हैं, फिर वह क्यों दे। तंग आकर चौकीदार ने दूसरी कॉलोनी में चौकीदारी शुरू कर दी।

कई लोगों को अफसोस हुआ। उन्हें लगा कल्याण-समिति को दूसरा चौकीदार ढूँढना चाहिए। कम से कम रात में सुरक्षा बनी

रहती है।

कल्याण-समिति ने इस काम में दुबारा दिलचस्पी नहीं ली। कोई भी सदस्य, समिति के काम को वक्त नहीं देना चाहता था। उनका कहना था चौकीदार को तनखाह देने में हीलाहवाला हुआ तो वह फिर भाग जायगा। सिंह साहब ने कहा, 'वैसे भी चौकीदार करता क्या था। रात दस से बारह तक सीटी बजा कर, डण्डा पटक कर नींद खराब करता था। असली खतरा तो बारह से चार के बीच होता है। उस समय वह गायब रहता था।'

'आपको कैसे पता?' सक्सेनाजी ने पूछा।

सिंह साहब बोले, 'मुझे तो रात में नींद आती नहीं। एक-एक घण्टे की खबर रहती है मुझे।'

अंसारी ने कहा, 'बिल्कुल ठीक कह रहे हैं सिंह साब, मैंने भी देखा है, रात में सन्नाटा पड़ा रहता है, चौकीदार अपनी ड्यूटी ठीक से करता कहाँ है?' मित्तल बोले, 'दस दिन पहले हमारी लेन से सबके कूलर के पम्प चोरी चले गये, बताइये अन्धेर है न!' दादा ने कहा, 'मित्तल साब कूलर के पम्प दिन में चोरी गये। दिन की चौकीदारी का इन्तज़ाम कब किया गया था।'

'असली बात है कि चौकीदार ही चोरों से मिले रहते हैं, बड़ा ख़राब ज़माना आ गया है।'

सक्सेनाजी ने कहा, 'साफ़ बात कहिये न। कॉलोनी में चौकीदार रखें या नहीं। सर्वसम्मति भी कोई चीज़ होती है।'

काफी देर बहस चली। चौकीदारी के पक्ष में जितने तर्क रखे गये उतनों की काट भी रखी गई। अन्त में तय पाया गया कि अपने घर की चौकीदारी हर परिवार खुद करे। न किसी को तनख़ाह देने का झंझट न निगरानी का बन्धन।

बात दरअसल यही थी। जिस भी घर में एक बुज़ुर्ग था, वहाँ घर-द्वार की सुरक्षा कोई गम्भीर समस्या नहीं थी। ऐसे घरों में कभी ताला नहीं लगता। घर के युवा सदस्य आने-जाने, दौड़-भाग में लगे

रहते, उनके बुजुर्ग टाइमकीपर बने तख्त पर बैठे रहते। उनकी खाँसियों में ही होशियार, खबरदार जैसी चेतावनी शामिल रहती।

चौकीदार की समस्या से निजात पाकर सिंह साहब अपने को बहुत शक्तिशाली समझने लगे। सर्दियों की धूप में कई घरों के लोग बाहर बने तिकोने पार्क में बैठ कर गप्प मारते। वे कभी सिंह साहब को शामिल होने के लिए नहीं बुलाते। सिंह अपने बरामदे में बैठ अखबार पढ़ते रहते। चन्द्रप्रभा के आने पर वे कहते,' 'जैसी धूप यहाँ वैसी वहाँ, क्या रखा है फिज़ूल की बातचीत में।' चन्द्रप्रभा कहती, 'तुम बैठ कर घर ताको, मैं तो चली। आज पाण्डेय जी के यहाँ सब जनी इकट्ठी होंगी।'

माघ के महीने में ठण्ड और बढ़ी। कोहरा शाम छह बजे से ही धावा बोल देता। सुबह आठ-नौ बजे तक कोहरा छँटने में न आता। सूरज निकलता मगर सहमा-सहमा, मरियल-सा। धूप के तेवर गायब रहते। कॉलोनी की सामाजिकता भी मौसम की तरह ठिठुरने लगी। लोग कमरों के अन्दर दुबके रहते। जिन्हें दफ्तर जाना होता, वे कोट, मफलर, दस्ताने पहन कर ऐसे तैयार होते जैसे लाम पर जाने को लैस हों। उन्हें स्कूटर में किक लगाते देख, सिंह साहब को खुशी होती कि उनके सामने ऐसी कोई मजबूरी नहीं। वे चाहें तो दिन भर रजाई में पड़े रह सकते हैं। चन्द्रप्रभा कभी-कभी खीझ उठती, 'यह क्या कि सारे दिन बिस्तर में पड़े रहना। कभी उठ कर बैठक में भी जाया करो।'

सिंह साहब कहते, 'बैठक मेहमानों के लिए होती है।'

'कौन मेहमान आता है अब!' चन्द्रप्रभा बड़बड़ाती।

ऐसे ही एक कोहरे भरे दिन सुबह-सुबह फाटक पर बड़ी ज़ोर की खट-खट सुनाई दी। पहले तो रजाई में दुबके पति-पत्नी को लगा कि पड़ोस के किसी घर का शोर है। थोड़ा सजग हो कर सुना तो अपना ही फाटक खटक रहा था।

सिंह साहब ने कहा, 'लो, तुम्हीं मेहमानों को याद कर रही थीं,

जाकर देखो, कौन चला आया है।'

दिन के नौ बजे थे लेकिन लग रहा था जैसे दिन अभी ठीक से निकला नहीं है।

अपने सिरहाने से फाटक की चाभी लेकर चन्द्रप्रभा बरामदे में आयी। घने कोहरे में ताला भी दिखना मुश्किल था। फाटक खोलते ही उन्होंने देखा उनका छोटा बेटा अनुराग और बहू दिव्या ठण्ड में काँपते हुए खड़े हैं। वे दिल्ली से आये थे और तभी रिक्शे से उतरे थे।

माँ के पैर छू कर अनुराग ने कहा, 'माँ हम आध घण्टे से बाहर खड़े खट-खट कर रहे हैं, आप घोड़े बेचकर सोते हो क्या? हमें आपके फाटक पर खड़े-खड़े कोई लूट कर चला गया है, कुछ मालूम है आपको? मेरा तो पर्स छिन गया। आप जल्दी से रिक्शे वाले को बीस रुपये देकर रवाना करो।'

'हैं, ऐसा कैसे हो गया।' चन्द्रप्रभा को यकीन नहीं हुआ। बहू बोली, 'सच्ची माँ, हमारा रिक्शा जैसे ही घर के फाटक पर पहुँचा, एक मोटरबाइक दन्न से इनके पास आकर रुकी। उस पर दो आदमी थे। उन्होंने इनकी जेब से सब कुछ निकलवा लिया, पर्स, पेन, मोबाइल। सब छीन कर चले गये।'

अनुराग ने कहा, 'मैंने तो सोचा किसी का पता पूछने के लिए मेरे पास आये हैं।'

सिंह साहब अब तक उठ कर आ गये थे। अनुराग ने उनके पैर छुए।

उन्होंने आशीर्वाद देते हुए कहा, 'बब्बू बेटे तूने आने की कोई खबर, फोन, कुछ नहीं किया। कैसे हो गया, क्या हो गया?'

अनुराग भन्नाया 'अपने ही घर आकर लुट गये और क्या हुआ। क्या कॉलोनी है यह, हमें घर के दरवाजे पर लूट कर गुण्डे चले गये। आपका क्या मतलब खबर करने का। आप कौन-सा स्टेशन आते हो। अपने घर आने की खबर कौन करता है?'

'यह बताओ, गुण्डों ने पर्स छीना तो तुमने शोर नहीं मचाया?'

'मिनटों में काम कर गये पापा। एक बाइक वाले के हाथ में चाकू था, मेरी तो बोलती बन्द हो गई देख कर।'

चन्द्रप्रभा बहू के बदन पर प्यार से हाथ फेर रही थी 'तुमसे तो कोई ज़बरदस्ती नहीं की गुण्डों ने?' 'नहीं माँ, मैं तो चोरी के डर से कोई गहना पहन कर ही नहीं आई।' दिव्या ने कहा।

'अजब बात है पापा। सड़क पर आस-पास चार-पाँच लोग दूध, ब्रेड वगैरह लाते दिखे भी पर कोई मदद को सामने नहीं आया। पहले तो ऐसा नहीं था।' अनुराग अब तक हैरान था।

'ऐसा ही है बेटे, आजकल लोग बहुत मतलबी होते जा रहे हैं,' सिंह साहब ने अफसोस में सिर हिलाया। वैसे मन ही मन उन्हें बेटे के नुकसान से ज़्यादा इसकी तकलीफ़ हो रही थी कि उनकी आँख जाने कब लग गई!

❖❖❖❖